D0589845

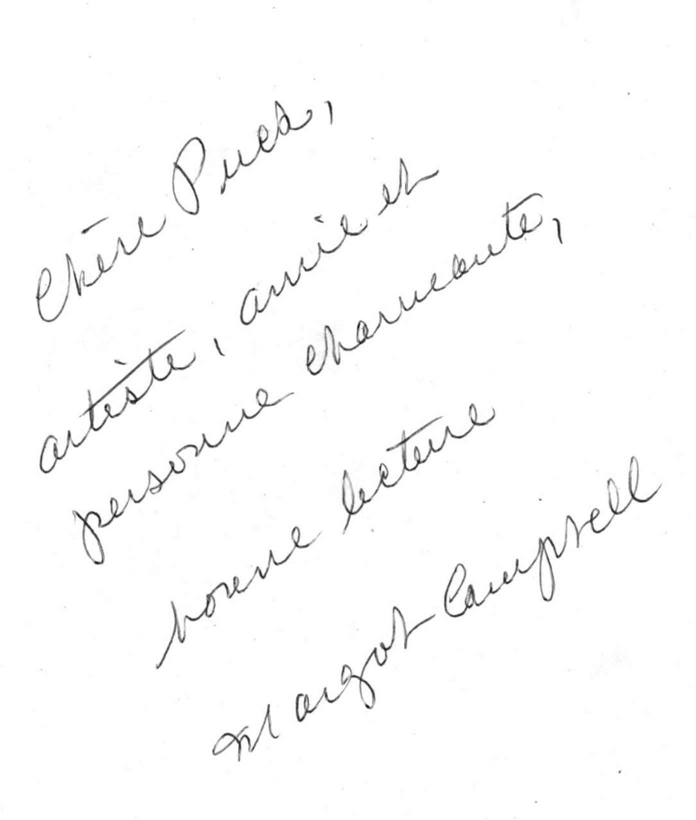
Chère Puck,
artiste, amie et
personne charmante,
bonne lecture
Margot Campbell

14 mai 2011

L'HABIT DE LUMIÈRE

Margot Campbell

L'HABIT DE LUMIÈRE

roman

CARTE BLANCHE

Éditions Carte blanche
1209, avenue Bernard Ouest, bureau 200
Montréal H2V 1V7 (Québec)
Tél.: 514-276-1298 – Fax: 514-276-1349
carteblanche@vl.videotron.ca
www.carteblanche.qc.ca

Diffusion au Canada: Fides
514-745-4290

Distribution au Canada: SOCADIS
514-331-3300

Dépôt légal: 1er trimestre 2011
Bibliothèque et archives nationales du Québec
ISBN 978-2-89590-175-4

On appelle « habit de lumière » le resplendissant costume que porte avec fierté le torero dans l'arène.

À mon mari Serge
et à mes filles Valérie et Joëlle

En perdant la beauté, petite ou grande, on perd tout.
La jeunesse est le seul bien qui vaille.

Oscar WILDE, *Le Portrait de Dorian Gray*

Je sais que sur les cœurs ses droits sont absolus;
Que tant qu'on est belle, on fait naître
Des désirs, des transports et des soins assidus;
Mais on a peu de temps à l'être,
Et longtemps à ne l'être plus.

Madame DESHOULIÈRES

Je prends de l'âge… Au lieu d'aborder des îles, je vogue donc vers ce large où ne parvient que le bruit solitaire du cœur, pareil à celui du ressac. Rien ne dépérit, c'est moi qui m'éloigne… Rassurons-nous: le large, mais non le désert.

COLETTE, *Le Fanal bleu*

1990

Le matin de son soixante-dixième anniversaire, Maude Lambert se réveilla plus tôt que d'habitude. La pénombre régnait encore dans la chambre, mais une petite lueur laiteuse se glissait entre les rideaux tirés et les oiseaux piaillaient déjà à tue-tête : le jour ne tarderait pas à se lever. Elle s'étira paresseusement et s'adossa à ses oreillers : « Soixante-dix ans ! C'est vraiment la vieillesse, je ne peux plus me faire d'illusions. » Pourtant, elle ne se sentait pas vieille dame du tout, et en ce moment moins que jamais. Elle avait dormi comme un loir et n'éprouvait pas ses douleurs d'arthrite habituelles. « Je remercierai mon pharmacien pour le nouveau remède. Quel beau cadeau de fête ! »

Les crises d'arthrite mises à part, Maude Lambert se jugeait en bonne santé. Elle nageait régulièrement et, chaque fois qu'elle le pouvait, faisait de longues randonnées à bicyclette. Beaucoup de femmes de son âge lui enviaient la taille et l'allure qu'elle avait conservées. Jadis, ses admirateurs la proclamaient la plus belle fille de la Montérégie. Elle eut un sourire en pensant à ce temps révolu et les premières paroles d'un court poème de Clément Marot lui revinrent en mémoire : « Plus ne suis ce que j'ai été et plus ne saurais jamais l'être ; mon beau printemps et mon été ont fait le saut par la fenêtre… » C'était ça, en effet. Il fallait bien s'y résigner. Et ne pas se montrer ingrate. Elle avait toujours joui d'une existence privilégiée, à l'abri des soucis, aimée, choyée par tous ses proches et surtout par Gilbert, son mari maintenant décédé. Plus de quatre décennies d'un mariage heureux. Veuve depuis huit ans, elle n'avait jamais songé à refaire sa vie. L'amitié, l'amour de la nature, la musique, les livres remplissaient ses jours. Parfois, un petit coup de nostalgie ou un moment de tristesse lui donnait un peu le vague à l'âme, mais elle mettait cela sur le compte de l'âge et passait à autre chose.

Le soleil se pointait maintenant le nez par la fente des rideaux. Maude décida de se lever et repoussa les couvertures d'un geste vif. En descendant du lit et en se rendant à la salle de bain, elle s'émerveilla de l'aisance de ses mouvements. Pas la moindre raideur nulle part. « Je pourrai marcher mes trois-quatre kilomètres aujourd'hui », se réjouit-elle. Elle alluma et ôta sa chemise de nuit. En passant devant le grand miroir pour entrer sous la douche, elle y jeta machinalement un coup d'œil… et resta pétrifiée, se croyant victime d'une hallucination. Elle se voyait… non, c'était impossible, inimaginable ! Elle se voyait aussi éclatante de jeunesse et de beauté que le jour de ses noces ! Les jambes flageolantes, elle s'agrippa au lavabo, ouvrit le robinet d'eau froide et se flanqua la tête dessous, espérant reprendre ses esprits. Mais le miroir lui renvoyait toujours l'image d'une jeune femme à la taille élancée, svelte et ferme comme un jeune arbre, aux prunelles couleur lavande brillant dans un visage lisse au teint de porcelaine, sous une masse de cheveux cuivrés où il n'y avait pas un seul fil blanc ! Tremblante, le front en sueur, elle se mit à claquer des dents, secouée de frissons convulsifs. Une étrange sensation d'apesanteur l'envahissait, ses oreilles bourdonnaient. Il lui semblait être dans un ascenseur qui descendait cent étages à une vitesse vertigineuse. Au passage, des petits éclairs de sa vie passée lui apparaissaient. Elle croyait entendre la voix de sa mère… « Maman ? »… Puis, ce fut le brouillard, et elle s'écroula sur les carreaux.

Quand elle revint à elle, grelottante, avec une bosse derrière la tête et qu'elle constata que le miracle perdurait, elle se sentit encore plus désemparée. S'appuyant à la cuvette, elle se remit debout et considéra son reflet dans la glace comme s'il s'était agi d'une autre personne. Était-il possible que sa jeunesse lui soit redonnée ? Mais comment ? L'impression d'avoir traversé le mur de la réalité, de se mouvoir dans un rêve, s'amplifiait de seconde en seconde et lui donnait le vertige. « Cela doit cesser maintenant, ou je vais devenir folle. »

De nouveau, elle baigna son visage d'eau froide pour se réveiller. Sans succès. Alors, les yeux rivés sur le miroir, elle exécuta une petite gymnastique, histoire d'être certaine que c'était bien son propre corps qu'elle voyait. Eh oui ! « Qu'est-ce qui m'arrive ? A-t-on jamais entendu parler d'une chose pareille ! »

Nue depuis plus d'une heure sur le plancher froid de la salle de bain, elle avait la chair de poule et enfila son peignoir, non sans un dernier coup d'œil à sa nouvelle image. Déjà, le choc était moins intense, le regard moins surpris. Inutile, se dit-elle, de rester là à attendre et à se torturer la cervelle. Elle avait faim, ce qui ne lui arrivait plus souvent, et alla à la cuisine se préparer un petit déjeuner copieux.

En mangeant, elle ne pouvait s'empêcher de contempler avec plaisir la peau douce et bien tendue de ses mains fines, ses bras fermes et ses jambes au galbe parfait. Elle avait oublié à quel point elle avait été belle. Insidieusement, dans une zone de son cerveau, une petite cellule (celle de l'insouciance de la jeunesse ?) travaillait à anesthésier ses craintes, à faire taire ses questions pour l'inciter à s'abandonner à l'instant présent.

Elle sortit sur le balcon inondé de soleil, et ce fut comme si elle assistait au premier matin du monde. Le parfum des lilas qui montait jusqu'à elle, le ciel pur bleu, la verdure et même les chats de la concierge qui folâtraient en bas dans le jardin, tout lui parut merveilleusement neuf, brillant, adorable. Elle ne se rappelait pas avoir jamais éprouvé une telle exultation, même du temps de sa jeunesse réelle. Il faut croire que l'on n'apprécie pleinement une bonne chose que lorsqu'on la retrouve après l'avoir perdue… Un tel bien-être habitait son corps, une telle énergie animait chacun de ses muscles qu'elle aurait voulu s'élancer et courir à perdre haleine.

La sonnerie du téléphone arrêta net son élan mental. C'était son amie Henriette qui l'appelait de Québec, où elle faisait un court séjour, pour lui souhaiter bon anniversaire.

— Pas de folies aujourd'hui, hein ma p'tite vieille !

— Ne t'inquiète pas, la rassura Maude. À bientôt.

Elle raccrocha sans avoir osé parler à sa grande amie de ce qui venait de lui arriver.

Son coup de téléphone l'avait cependant ramenée sur terre. Les autres, il y avait les autres ; les voisins, la concierge, les marchands autour, tous ceux qui la connaissaient. Quelle explication donner ? Si elle disait la vérité, on la prendrait pour une folle, ou à tout le moins pour une personne suspecte. On voudrait savoir où se trouvait la vraie Maude Lambert. Tout cela était insensé, et la jeune femme commençait à se sentir nerveuse. Ce qui la ramenait au nœud de l'histoire : comment cette transformation prodigieuse avait-elle pu s'opérer ? La veille, elle n'avait rien mangé ni bu d'inhabituel. Sauf... sauf le nouveau médicament... « Se pourrait-il que le pharmacien se soit trompé et m'ait donné quelque chose d'autre que le remède contre l'arthrite ? Une drogue puissante qui me ferait halluciner ? » se demandait-elle en évoquant le goût douçâtre et la texture sirupeuse de la potion. Prenant une brusque décision, elle décrocha pour appeler la pharmacie afin de poser quelques questions à monsieur Rochette... Puis elle se ravisa : il valait mieux attendre un peu, au cas où son carrosse doré redeviendrait citrouille dans les prochaines heures.

Pendant deux jours, cloîtrée chez elle à tourner en rond et à consulter son miroir à tout instant, elle ne savait plus si elle souhaitait ou redoutait la fin du « miracle ». Tant d'aspects de sa vie seraient radicalement changés si la transformation persistait que la tête lui tournait rien que d'y penser.

Enfin, le troisième jour, poussée par la nécessité de regarnir le frigo, elle se résolut à sortir. « Mais, je n'ai plus rien de mettable, à présent ! », s'exclama-t-elle. En fouillant dans les placards, elle finit par dégoter un joli ensemble, condamné quelque temps auparavant parce qu'il était devenu trop serré, et elle considéra qu'avec une ou deux petites modifications il ferait l'affaire.

Le travail terminé, elle se maquilla légèrement, attacha ses épais cheveux sur la nuque et se prépara à affronter le monde extérieur. En ouvrant sa porte elle s'assura d'abord que le palier était désert. Elle n'avait pas envie de croiser un voisin ou la concierge. Dans ce petit immeuble, tout le monde se connaissait, et un nouveau visage attirait aussitôt l'attention.

Dehors, elle eut un regain d'euphorie à sentir la souplesse de son corps, la légèreté de son pas. Comme le premier matin, la nature lui sembla encore plus belle, plus exubérante. Des gens, des hommes surtout se retournaient sur son passage. Elle souriait. Depuis son enfance jusqu'au début de son âge mûr, il en avait toujours été ainsi. Lorsque sa mère l'emmenait en promenade, des passants lui faisaient compliment de la beauté de sa fille. Plus tard, le concert d'éloges n'avait fait qu'augmenter. On la trouvait belle comme une princesse de conte de fées. Parfois, elle en éprouvait un certain malaise, n'étant pas vaine, et aurait souhaité qu'on l'admire moins et qu'on l'écoute davantage. Le rôle d'icône sur un piédestal ne lui plaisait pas du tout.

L'épicerie faite, les provisions rangées, elle repartit aussitôt dans l'intention de visiter toutes les boutiques élégantes du centre-ville, enchantée d'avoir une bonne excuse pour renouveler sa garde-robe.

Vers 13 heures, affamée et les bras chargés, elle entra Chez Manet, un restaurant où elle allait souvent avec Henriette. L'accueillante salle à manger, décorée de reproductions d'œuvres du grand peintre, était pleine, mais elle avisa une petite table libre le long du mur et s'y installa. Elle remarqua alors, assis un peu plus loin, un bel homme à l'abondante chevelure blanche et bouclée qui, dès qu'il la vit, se mit à l'observer avec attention. Un peu gênée, elle fut contente quand la serveuse s'approcha pour prendre sa commande.

Pendant le repas, dès qu'elle jetait un coup d'œil de son côté, elle surprenait le regard vert fixé sur elle. Et soudain, la lumière éclata. Elle venait de le reconnaître malgré l'âge et les cheveux blancs : c'était Xavier Moreau ! Xavier Moreau, son premier vrai béguin de jeune fille, le beau garçon, le tombeur, considéré à Ville Le Ber comme un mauvais sujet parce qu'il étudiait à l'École des beaux-arts de Montréal. Xavier Moreau qui s'était enrôlé en 1942 et dont elle n'avait plus jamais entendu parler. Quelle avait été sa vie durant toutes ces années? Était-il devenu peintre comme il l'ambitionnait alors? Maude se sentit piquée d'une vive curiosité.

Elle réglait l'addition au comptoir lorsqu'il surgit à côté d'elle.

— Pardonnez-moi de vous importuner, mademoiselle, mais vous ressemblez tant à une jeune fille que j'ai connue autrefois que... N'auriez-vous pas un lien de parenté avec madame Maude Lambert O'Neil?

Il s'arrêta, confus.

— Veuillez m'excuser, je me présente: Xavier Moreau. J'habitais cette ville dans ma jeunesse.

Mal à l'aise, Maude se dirigea vers la sortie en balbutiant.

— Non, monsieur, je regrette, vous faites erreur.

Il la suivit et, avec empressement, alla pousser la porte devant elle. Comme elle le frôlait, il sursauta.

— Oh! Vous avez le même grain de beauté sous l'oreille gauche. C'est vraiment étonnant!

Pour toute réponse, elle fit un petit signe de tête et s'éloigna au plus vite.

« Quelle mémoire, tout de même! se dit-elle en pressant le pas. Il ne m'a pas vue depuis cinquante ans et il se souvient de mon grain de beauté.» Qu'est-ce qu'il venait donc faire à Ville Le Ber après si longtemps? Espérait-il la retrouver? Cette pensée la troubla encore davantage. Les souvenirs tout à coup se bousculaient, ses vingt ans resurgissaient avec leur cortège de rêves, de coups de cœur, d'hésitations...

Oui, le beau Xavier l'avait terriblement attirée autrefois. Mais, en même temps, il lui faisait peur avec son goût pour la vie de bohème et les conquêtes féminines. Elle ne voyait pas une once de sérieux en lui. Même si, au milieu de baisers passionnés, il lui jurait qu'il était fou d'elle, elle n'arrivait pas à lui faire confiance. Un autre soupirant, un ami d'enfance, Gilbert O'Neil, jeune journaliste au talent prometteur, la courtisait aussi et voulait l'épouser. Pour Maude, qui ne rêvait à vingt ans que mariage et robe blanche, comme la plupart des jeunes filles de son époque, Gilbert, plus âgé, plus mûr, se présentait comme un meilleur parti. C'était aussi l'avis de ses parents, qui lui faisaient valoir que Gilbert avait un avenir assuré au journal de son père, dont il deviendrait propriétaire un jour, tandis que Xavier, avec ses ambitions artistiques... De toute manière, le jeune homme semblait avoir envie de jeter sa gourme avant de penser au mariage.

En décembre 1941, les parents Lambert annoncèrent les fiançailles de leur fille. Un mois plus tard, Xavier s'enrôlait et sa famille quittait le Québec pour l'Ouest canadien. Maude ne le revit jamais et ignora toujours ce qu'il était devenu.

Par un beau jour de juin 1942, elle unissait donc son destin à celui de Gilbert O'Neil pour plus de quarante ans d'un bonheur paisible et sans heurts. Malgré cela, souvent elle s'était laissée aller à imaginer ce qu'aurait pu être sa vie avec le flamboyant Xavier. Aurait-elle eu des enfants avec lui ? Leur union, à Gilbert et elle, demeurait stérile, même après plusieurs années, et ils en étaient inconsolables.

Tout à ses pensées, Maude était parvenue devant son immeuble sans s'en rendre compte et ne put éviter madame Sirois, la concierge, qui balayait le trottoir. Elle la salua poliment et se hâta de monter chez elle, sentant dans son dos l'œil intrigué de la dame. « Ouf, se dit-elle, soulagée, heureusement qu'elle ne m'a pas posé de questions. » Fatiguée et tout de même un peu secouée par sa rencontre avec Xavier Moreau, elle déposa ses emplettes, s'étendit sur son lit et s'endormit.

Un coup de sonnette la réveilla en sursaut. Comme elle n'attendait personne, elle ne voulait pas ouvrir avant de savoir à qui elle avait affaire. Elle sortit dans le couloir et marcha jusqu'au palier d'où, en se penchant un peu, elle avait vue sur le hall. Xavier se tenait tout droit devant les boîtes aux lettres. Il sonna de nouveau, attendit quelques secondes, puis extirpa de sa poche une enveloppe bleue qu'il glissa dans le casier de Maude et ressortit dans la rue. La jeune femme n'en revenait pas : « Ma foi d'honneur, il m'a suivie ! » Elle courut prendre la clé de sa boîte, dévala l'escalier, saisit l'enveloppe et remonta à son appartement à toute allure. Là, les doigts tremblants, elle l'ouvrit. Il en tomba une photo, une vieille photo d'elle qu'elle voyait pour la première fois, mais dont elle reconnut immédiatement les circonstances : c'était le 25 mai 1941, le jour de ses vingt et un ans. Ses parents lui avaient offert une petite fête avec ses amis. On la voyait assise de trois quarts dans un fauteuil de jardin ; elle souriait, et sa coiffure en chignon dévoilait le fameux grain de beauté sous l'oreille gauche. En arrière-plan, un petit groupe de jeunes, parmi lesquels Gilbert qui dominait par sa haute taille. C'est Xavier qui avait pris cette photo. Machinalement, elle la retourna et, malgré l'encre à demi effacée, elle put lire ces simples mots : *Ma Maude chérie, 25 mai 1941.*

Elle s'assit lentement, à la fois émue et perplexe. Émue à cause de l'inscription qui semblait témoigner des sentiments que Xavier avait éprouvés pour elle et perplexe parce qu'elle se demandait pourquoi il lui avait laissé ce souvenir de leur jeunesse. Il était clair que le midi même, Chez Manet, il n'avait pas été dupe de ses dénégations et qu'il espérait, en la suivant jusqu'à son domicile, retrouver celle qu'il avait connue autrefois et dont il croyait que la jeune femme du restaurant pouvait être une proche parente.

Cette nuit-là, l'image du jeune et séduisant Xavier qui l'avait courtisée avec passion vint hanter son sommeil. Elle le vit même se battre avec Gilbert au cours d'un rêve qui n'était pas difficile à interpréter.

Croyant qu'une promenade au grand air l'aiderait à s'éclaircir les idées, Maude fut dehors de bonne heure le lendemain matin. Les questions qui lui trottaient dans la tête depuis quatre jours continuaient leur ronde inlassable : Comment ? Pourquoi ? Pour combien de temps ? Elle n'avait pas encore appelé le pharmacien au sujet du remède. Quelque chose la retenait. Une sorte de gêne, elle ne savait trop. Et puis, comme si ce qu'elle vivait en ce moment n'était pas assez troublant, voilà que Xavier Moreau, qu'elle pensait mort, resurgissait, voulait la revoir. Une semaine plus tôt, elle en aurait été très heureuse, mais elle ne savait pas, à présent, comment elle pouvait se présenter à lui : « Coucou, c'est moi. J'ai rajeuni de quarante ans l'autre jour ! » Impensable !

— Mademoiselle…

Elle se retourna brusquement, et son sang ne fit qu'un tour : Xavier se tenait devant elle et la scrutait du regard. Avant qu'elle n'ait ouvert la bouche, il enchaîna.

— Vous savez sans doute que je vous ai suivie, hier. Je tiens à m'en excuser. Je n'avais pas d'autre choix, comme vous sembliez réticente à me parler. Je cherchais à retrouver cette femme que j'ai connue dans ma jeunesse, et votre ressemblance avec elle m'a bouleversé. Elle ne peut pas être l'effet du hasard. C'est votre grand-mère, n'est-ce pas ?

Maude inclina la tête, extrêmement mal à l'aise de mentir.

— Est-ce qu'elle se porte bien ?

— Oui, très bien.

L'homme eut un grand sourire.

— J'en suis heureux, vraiment très heureux. Je me dirigeais justement vers votre immeuble quand je vous ai aperçue. Croyez-vous que je pourrais la voir aujourd'hui ?

À peine avait-il terminé sa phrase qu'une longue voiture, un genre d'ambulance, surgit tout à coup de l'angle de la rue et vint freiner à leur hauteur. Deux gaillards vêtus comme des infirmiers, un grand roux barbu et un brun costaud, en sortirent rapidement et s'approchèrent de Xavier, mais sans brusquerie, ne voulant pas se montrer menaçants.

— Suivez-nous, monsieur Moreau, dit le barbu avec douceur. Vous n'auriez pas dû vous enfuir. Avec les médicaments que vous prenez, c'était très imprudent.

— Je suis en parfaite santé et je ne vous suivrai pas, lui répondit-il avec calme . Vous n'avez pas le droit de m'y forcer.

Le rouquin jeta à Maude, décontenancée, un regard qui semblait dire : nous ne faisons que notre devoir.

— Allons, soyez raisonnable, monsieur Moreau. Votre belle-fille se meurt d'inquiétude à votre sujet.

À ces mots, Xavier changea soudain d'attitude et eut l'air de se soumettre.

— Bon. J'irai donc m'expliquer avec elle.

Il se retourna vers Maude, qui regardait la scène, de plus en plus stupéfaite.

— Veuillez excuser cet incident regrettable, mademoiselle. Et merci de m'avoir indiqué le chemin, ajouta-t-il en plongeant ses yeux dans les siens. Au revoir.

Il monta dans la voiture, qui démarra sans plus attendre. Maude eut tout juste le temps de lire: *Maison de repos Rochester, Westmount*, inscrit à l'arrière du véhicule, avant qu'il ne disparaisse au bout de l'avenue.

Xavier dans une maison de repos ! Maude n'arrivait pas à le croire. Tout à l'heure et la veille au restaurant, son ancien amoureux lui avait paru normal, nullement déprimé, encore moins dérangé. Qu'est-ce que cela signifiait ? D'abord, il avait refusé d'obéir, puis s'était laissé convaincre. Trop vite, pensait-elle. Et ce regard pénétrant qu'il avait eu en la remerciant pour des renseignements qu'elle ne lui avait pas donnés... Essayait-il de lui faire comprendre quelque chose ? Quoi ? Intriguée au maximum, elle renonça à sa promenade et fit demi-tour en réfléchissant à ce qu'elle allait faire. Pourquoi ne pas partir immédiatement pour Montréal, trouver cette Maison Rochester et essayer de comprendre ce qui se passait ? Xavier se trouvait peut-être en danger ? Il était 9 h 40. En se hâtant, elle pourrait attraper l'express de 11 heures.

Chez elle, elle mit quelques vêtements dans une valise, rangea l'appartement, puis sortit par l'escalier de secours pour éviter les rencontres et se rendit à la gare d'autobus.

La tournure des événements la confondait. « Me voici en route pour Montréal, à la rencontre de je ne sais quelle aventure qui me mènera je ne sais où. Si Henriette me voyait me jeter ainsi dans l'inconnu, elle serait bien étonnée. » En fait, Maude s'étonnait elle-même. Mais elle obéissait à un ordre intérieur: il fallait qu'elle sache ce qui arrivait à Xavier.

À 11 h 45, elle descendait rue de la Gauchetière. Tout de suite, elle se mit à la recherche d'un petit hôtel à prix abordable et en découvrit rapidement un qui lui parut correct. Elle y loua une chambre pour deux jours, quitte à prolonger si nécessaire. Une fois installée, elle consulta l'annuaire et trouva sans peine l'adresse de la Maison Rochester, qui était située sur les hauteurs de Westmount.

Au petit café de l'hôtel, elle avala un sandwich en vitesse, puis sauta dans un taxi. Vingt minutes plus tard, la voiture s'arrêtait devant une vaste et magnifique résidence en pierre qui ne ressemblait pas du tout à un bâtiment hospitalier. Elle croyait s'être trompée lorsqu'elle vit une petite plaque à côté de l'entrée: *Maison de repos Rochester.*

Des travaux étaient en cours. Sur le flanc gauche s'élevait un échafaudage où un maçon maniait la truelle en sifflotant. Maude gravit les marches du perron et elle allait appuyer sur la sonnette quand la porte s'ouvrit pour livrer passage à un autre ouvrier, sac d'outils en bandoulière, qui s'effaça poliment pour la laisser entrer.

Elle se retrouva dans un hall spacieux, meublé avec élégance, que des plantes vertes et des vases remplis de fleurs rendaient fort accueillant. Une épaisse moquette bourgogne recouvrait le plancher, ainsi que le large escalier qui s'élevait à gauche. C'était le décor d'une riche demeure particulière. Au fond de la pièce, assise derrière un superbe bureau ancien, une toute jeune fille mâchait de la gomme avec enthousiasme, le nez dans un magazine et les écouteurs sur les oreilles. Elle sursauta en voyant Maude, l'air étonné de sa présence comme d'une apparition.

— Que puis-je faire pour vous ? s'enquit-elle précipitamment en retirant ses écouteurs.

— Je désirerais voir l'un de vos patients, monsieur Xavier Moreau, s'il vous plaît.

— Avez-vous un billet de visite ?

— Non, j'ignorais… répondit Maude, un peu embarrassée. C'est seulement pour cette fois, je suis de passage.

La jeune fille haussa légèrement les épaules.

— Bon… Xavier Moreau, vous dites ?

Elle fouilla dans un tiroir et en sortit deux ou trois feuilles, qu'elle parcourut rapidement.

— Je ne trouve pas son dossier. Excusez-moi, je n'ai pas l'habitude, je remplace une copine aujourd'hui. Elle m'avait dit qu'il ne venait jamais personne, ajouta-t-elle, comme vexée. Écoutez, montez à l'étage, vous verrez sûrement quelqu'un qui pourra vous renseigner.

Et sans plus se soucier de Maude, elle remit les écouteurs sur ses oreilles et son nez dans le magazine.

« Plutôt décontractée, la petite réceptionniste », se dit Maude en s'engageant dans l'escalier. Sur le palier, pas un chat. De gros fauteuils de cuir entouraient une table basse au centre et cinq portes numérotées donnaient sur cet espace. La cinquième à gauche ressemblait à une porte de coffre-fort. Aucun bruit, silence complet. Maude attendit quelques minutes, gagnée par une sensation d'étrangeté. Soudain, derrière la porte numéro 2, elle perçut du mouvement et des voix étouffées. D'instinct, sans savoir pourquoi, elle se dissimula derrière un fauteuil. Deux personnes sortirent de la chambre et l'une d'elles tourna la clé dans la serrure. Elles s'arrêtèrent de l'autre côté du cercle de fauteuils, en parlant à mi-voix. Maude retenait son souffle, mais risqua tout de même un œil. Elle reconnut un des deux infirmiers du matin, le rouquin: « Tiens, Barbe-Rousse est là. » Une femme, grande et mince, qu'elle voyait de dos, l'accompagnait.

— Ne vous en faites pas, dit l'infirmier, il dormira encore plusieurs heures.

— À l'avenir, il faudra mieux le surveiller.

Le ton de la dame indiquait qu'elle n'était pas trop contente.

— Nous devrions peut-être augmenter la dose? suggéra l'homme.

— Pas tout de suite. Je dois d'abord en discuter avec Rochester.

Le rouquin alla ouvrir la porte de sécurité, et ils disparurent dans l'aile gauche.

Maude était certaine que c'était de Xavier qu'ils parlaient. C'était lui qui dormait dans cette chambre fermée à clé. Il fallait absolument lui signaler sa présence. Elle s'avança sur la pointe des pieds et remarqua que l'une des portes n'était pas complètement fermée. Avec hésitation, se demandant ce qui l'attendait derrière, elle la poussa doucement: « Ouf! Pas de cadavre! » C'était une petite pièce sans fenêtre où l'on rangeait les instruments de nettoyage. Elle comprit qu'elle avait là un excellent poste d'observation. En entrebâillant la porte, elle pouvait voir une partie du palier et le haut de l'escalier. Nulle venue ne lui échapperait. Il était 14 h 10. « Avec un peu de chance, se dit-elle, Xavier se réveillera peut-être avant la fin de l'après-midi. » Elle se résigna à attendre, assise dans le noir sur un seau renversé. Au bout d'une heure, s'aventurant hors du cagibi, elle repassa devant la porte numéro 2: toujours le silence. Silence également derrière la 3. Elle en tourna lentement la poignée: la pièce était vide, les rideaux tirés. Idem pour la chambre numéro 1. Mais, cette fois, elle s'approcha de la fenêtre et souleva un coin de la tenture. Cette fenêtre donnait sur le jardin derrière la maison. Un jardin plutôt petit entouré de hauts murs. Trois hommes parlaient, debout sur la pelouse. À côté d'un type courtaud et très brun, elle reconnut Barbe-Rousse encore une fois. Le troisième homme, qui se trouvait de dos, se retourna brusquement et Maude recula, la main sur la bouche pour étouffer son cri de surprise: c'était Julien Rochette, son pharmacien! « Qu'est-ce qu'il peut bien faire ici? » Rendait-il visite à un parent ou à un ami? C'était plausible, mais néanmoins intrigant. Elle continua d'observer la scène. Le pharmacien faisait de grands gestes et semblait parler d'autorité. Les deux autres l'écoutaient et opinaient de la tête. Puis, en voyant l'infirmier se détacher du groupe et venir vers la maison, Maude se hâta de réintégrer sa cachette. De là, quelques minutes plus tard, elle l'entendit ouvrir la porte de la chambre de Xavier et la refermer aussitôt. Il venait sans doute vérifier si son prisonnier dormait toujours. Ses pas se dirigèrent du côté gauche.

Deux autres heures s'écoulèrent. Maude avait faim et soif, et elle serait bien passée au petit coin, mais il fallait prendre patience. Son seul espoir était que l'on apporte bientôt quelque chose à manger à Xavier. À 5 h 30, elle alla de nouveau écouter à sa porte. Enfin, ça remuait derrière, et elle entendit la chasse d'eau. « Dieu soit loué ! Je dois maintenant lui faire connaître ma présence ». S'il la savait là, prête à l'aider, il penserait peut-être lui-même à un subterfuge pour tromper la vigilance de ses gardiens. Elle déchira une page de son agenda et écrivit : « Monsieur Moreau, je suis la jeune fille à qui vous avez parlé ce matin dans la rue. Je me cache ici à côté, dans le réduit à balais. Il faut que nous nous parlions. Soyez prudent et déchirez ce papier. » Elle gratta au battant, glissa rapidement le billet sous la porte et attendit. Au bout de quelques secondes, un grattement répondit au sien, puis de nouveau la chasse d'eau. Xavier avait fait disparaître le papier.

Maude retourna dans le cagibi. Un peu après 18 heures, Barbe-Rousse arriva avec un plateau. Il ouvrit la porte.

— C'est votre repas, monsieur Moreau.

Elle l'entendit s'informer sur un ton faussement jovial de l'état de Xavier.

— Grâce à vous, je me suis bien reposé, répondit celui-ci, ironique. Au fait, j'ai réfléchi. Dites à Rochester et à madame Glenn que je discuterai affaires avec eux, demain. Pour le moment, je désirerais boire un peu de vin avec mon dîner.

Il avait parlé assez haut pour être entendu de Maude, qui comprit aussitôt qu'il tentait d'éloigner l'infirmier. Mais, au lieu de partir, le rouquin se servit de son téléphone pour appeler la cuisine et ne bougea pas. « Loupé ! » pensa Maude, déçue. Toutefois, un moment plus tard, une sonnerie se fit entendre. « Allo ? » répondit Barbe-Rousse. De son poste d'observation, elle le vit alors sortir et s'éloigner de quelques pas, manifestement pour parler loin des oreilles de Xavier, laissant la porte ouverte. Comme il lui tournait le dos, elle ne fit ni une ni deux et se faufila dans la chambre.

Coiffé, rasé et fleurant bon l'eau de toilette, son ancien amoureux se tenait debout près du lit, vêtu d'un peignoir bleu sombre. D'un signe de tête, il lui désigna le placard et elle s'y engouffra.

L'infirmier réapparut bientôt avec une demi-bouteille de vin et un verre.

— Voilà, monsieur Moreau. Bon appétit.

Il quitta la pièce sans oublier de fermer à double tour. Maude était maintenant prisonnière avec Xavier.

Quand elle sortit de sa cachette, un petit dialogue mimé s'engagea entre elle et lui : il mit un doigt sur ses lèvres en montrant la porte, et elle lui fit comprendre qu'avant toute chose, elle devait passer par la salle de bain. Xavier sourit et d'un beau grand geste lui en indiqua l'endroit.

Quelques minutes plus tard, en la remerciant d'être venue à son secours, il voulut savoir si c'était à l'instigation de sa grand-mère et Maude, avec réticence, dut mentir encore une fois.

— Oui, elle s'inquiétait, alors j'ai décidé de venir voir ce qui se passait.

Puis, se hâtant de changer de sujet, elle raconta comment elle avait pu parvenir jusqu'à lui et demanda des explications : de quoi avait-il peur ? Pourquoi l'enfermait-on ?

— Mais d'abord, mangez votre repas.

— Je m'en garderai bien ! déclara Xavier. Je suis certain qu'ils mettent une drogue dans ma nourriture.

Maude s'indigna.

— Cela a commencé chez Dorothy, ma belle-fille, il y a un mois, poursuivit-il. Je vous donnerai des détails plus tard, si nous réussissons à sortir d'ici. Pour être bref, je crois qu'ils cherchent à me rendre gaga afin de mettre la main sur mon argent.

— Qui « ils » ? interrompit Maude.

— Ma belle-fille et Rochester, ce savant sans scrupules.

— Sont-ils ici en ce moment ?

— Oui, quelque part dans cette mystérieuse aile gauche, sans doute.

— Justement, j'ai vu l'infirmier y entrer avec une jeune femme, quand je suis arrivée.

— C'était Dorothy. Il se passe des choses bizarres de ce côté. La maison de repos, à mon avis, n'est qu'une façade. Il n'y a ici ni malade ni psychiatre. En une semaine, je n'ai pas vu l'ombre d'un patient dans les autres chambres. Le docteur Hernandez m'a brièvement examiné, m'a prélevé du sang et n'est pas revenu. Cette porte de sécurité du côté gauche est verrouillée en tout temps. La première nuit, alors qu'ils n'avaient pas encore commencé mon « traitement », je m'en suis approché, mais je n'ai rien entendu.

Maude à son tour lui fit part de sa surprise en reconnaissant son pharmacien dans la cour.

— Je ne peux pas m'expliquer la présence ici de monsieur Rochette.

Xavier réfléchit une seconde.

— De quoi a-t-il l'air ?

— La cinquantaine, maigre, des lunettes et le crâne presque chauve.

Xavier lui saisit le bras .

— Mon enfant, c'est l'exacte description de Julian Rochester ! Et vous dites qu'il tient une pharmacie à Ville Le Ber ? Depuis quand ?

— Trois ou quatre ans. J'ai remarqué qu'il s'absente souvent.

Xavier marchait de long en large.

— Voilà qui expliquerait comment ils m'ont si vite retrouvé, ce matin. Il a dû m'apercevoir, hier, dans la rue ou au restaurant, et il a donné l'alerte. Puis, comme j'ai passé la nuit dans l'unique hôtel de la ville... ils n'ont eu qu'à me cueillir quand j'en suis sorti. Mon enfant, je suis convaincu que Rochester et Rochette ne sont qu'un seul et même homme.

Maude hésitait à comprendre. Le pharmacien en qui elle avait confiance serait un professionnel malhonnête, une personne à double identité ? Elle tombait des nues et allait passer un commentaire quand Xavier lui demanda l'heure.

— Il est 19h10.

— Allons, il faut disposer de cette nourriture et de ce vin pour faire croire que j'ai bu et mangé.

Avec un soupir de regret, elle qui mourait de faim, Maude le vit jeter à la cuvette l'appétissante omelette au jambon et aux légumes, ainsi que le vin.

— Je ferai semblant d'être un peu ivre, dit Xavier en souriant, j'ai toujours eu des dons d'acteur.

« Ça, c'est bien vrai », pensa Maude en se rappelant les numéros d'imitation dont il amusait les copains autrefois.

Mais il était temps de songer à un plan d'évasion. Il y avait deux fenêtres dans cette chambre. L'une donnait sur le jardin muré, l'autre, sur le flanc de la maison où s'effectuaient les travaux de maçonnerie. À cette heure, les ouvriers avaient quitté le chantier. La plate-forme de l'échafaudage devait être à moins de deux mètres au-dessous.

— Voilà notre salut, dit Maude. Ce sera facile de se laisser glisser. Ouvrons cette fenêtre.

Mais, même à deux, ils n'y parvinrent pas. Elle était scellée par plusieurs couches de peinture et n'avait certainement pas été ouverte depuis très longtemps.

— De toute évidence, ce n'est pas par cette fenêtre que vous vous êtes enfui hier.

— Je n'ai pas eu besoin de la fenêtre. Je suis sorti d'ici aussi facilement que vous y êtes entrée. Ils me croyaient solidement endormi avec le médicament que le docteur me donnait soi-disant pour ma tension artérielle, mais je l'avais recraché et je n'ai pas fermé l'œil. Avant l'aube, je suis descendu à la réception, j'ai déverrouillé et... bonsoir la compagnie ! J'ai marché longtemps, puis j'ai trouvé un taxi et je me suis fait conduire à la gare d'autobus.

— Vous aviez donc l'intention de venir à Ville Le Ber ?

— Oui. C'était dans mes projets dès mon arrivée à Montréal. Je voulais revoir le pays de ma jeunesse, mais, surtout, j'espérais retrouver votre grand-mère.

Cette déclaration d'intérêt réitérée fit plaisir à Maude.

Le pas lourd de l'infirmier résonna dans le couloir. Vite, elle réintégra le placard pendant que Xavier s'affalait dans son fauteuil. Barbe-Rousse entra et prit le plateau.

— J'ai transmis votre message. Monsieur Rochester et madame Glenn seront ici demain dans la matinée. Est-ce qu'il vous plairait de prendre un peu l'air au jardin avant de vous coucher ?

— Non, je vous remercie, répondit Xavier d'une voix pâteuse. J'ai déjà sommeil.

Le rouquin lui souhaita bonne nuit et sortit en n'oubliant pas de tourner la clé dans la serrure.

Pendant de longues minutes les deux captifs n'osèrent bouger. Puis, avec précaution, ils se rejoignirent à la fenêtre et une fois de plus unirent leurs efforts. Sans succès.

— Il faudrait quelque chose pour gratter cette peinture, dit Maude en cherchant autour d'elle.

— Attendez, j'ai peut-être ce qu'il faut.

Xavier alla prendre dans la salle de bain son nécessaire pour les ongles. Munis chacun d'un petit instrument métallique, ils se mirent au travail.

Après plus d'une heure de grattage acharné, la fenêtre s'ébranla enfin. Ils s'apprêtaient à donner l'assaut final quand ils virent un rectangle de lumière apparaître, en bas, sur le bouquet d'arbres qui séparait la clinique de la propriété voisine: quelqu'un venait d'entrer dans la pièce au-dessous. Ils interrompirent leur besogne.

— J'espère qu'ils ne sont pas là pour la soirée, s'inquiéta Xavier, à voix basse.

Maude profita de cette pause forcée pour lui demander des détails au sujet de sa belle-fille.

— Dorothy avait seize ans, lorsque j'ai épousé sa mère. Sa beauté était renversante. Déjà top model, elle faisait des photos et des défilés de mode partout dans le monde. Une carrière fulgurante d'une quinzaine d'années. Début trentaine, elle a voulu profiter de sa célébrité pour créer sa propre marque de cosmétiques, et j'ai moi-même investi dans l'affaire avec enthousiasme. C'est vite devenu une entreprise fort rentable. Mais Dorothy avait des ambitions sans limites. Elle rêvait d'inventer une crème miracle, d'abord pour elle-même, car elle était maladivement obsédée par la peur de vieillir et de perdre sa beauté, mais aussi parce qu'elle voulait devenir une autorité dans le domaine des soins de beauté et grossir sa fortune. Il y a environ une dizaine d'années, elle a fait la connaissance de Julian Rochester, un pharmacien biochimiste qui…

— Pardon, quel âge a votre belle-fille ? Je ne l'ai vue que de dos, mais elle m'a paru très jeune.

— Elle vient d'avoir cinquante-quatre ans. J'y reviendrai, répondit Xavier, mystérieux. Au cours de ces années, sa mère, ma seconde femme, est tombée très malade. Un cancer. Toutes mes énergies se sont alors concentrées sur elle. J'ai perdu de vue la compagnie Glenn. Quand ma femme est décédée, les relations avec ma belle-fille se sont espacées de plus en plus. J'ai quitté Vancouver pour un très long voyage et… Oh, regardez, la lumière s'est éteinte.

Sans perdre une minute, ils recommencèrent à gratter. Enfin, en unissant leurs forces encore une fois, ils réussirent à ouvrir la fenêtre.

— Victoire ! chuchota Maude.

Ils se serrèrent la main comme de vieux complices.

— Vite, Xavier, il faut vous habiller, dit-elle en s'assurant que, dehors, la voie était libre.

Le réverbère du coin éclairait faiblement la rue déserte.

— Ils m'ont tout confisqué : argent, papiers, vêtements. Je devrai m'enfuir en pyjama et robe de chambre.

— Ça ira. Allez, je descends la première.

Elle enjamba le rebord, se laissa pendre au bout de ses bras et atteignit aisément la plate-forme. En deux secondes, elle était sur le sol. Ce fut encore plus facile pour Xavier avec son mètre quatre-vingt-dix.

— Merci, mon enfant, dit-il en atterrissant près d'elle. Sans vous, je n'y serais pas arrivé.

À peine avaient-ils atteint le trottoir qu'en se retournant une dernière fois, Xavier aperçut de la lumière à la fenêtre béante de la chambre.

— Ça y est. Ils viennent de constater que l'oiseau s'est envolé de nouveau. Dans cinq minutes, nous les aurons à nos trousses.

Maude ne vit pas d'autre issue que de piquer dans le petit bois de l'autre côté de la rue.

La nuit était noire. Ils couraient dans ce qui semblait être un chemin, mais butaient à tout moment sur une pierre ou une racine sortie du sol. Maude s'écorcha un genou, et son compagnon le lui banda avec son mouchoir. Toujours à tâtons, ils repartirent sans savoir où ils aboutiraient.

Après un bon quart d'heure d'une course pénible, ils sortirent enfin du sentier rocailleux et se trouvèrent face au Belvédère. Un couple enlacé y admirait les lumières de la ville. Dissimulés derrière les arbres, ils attendirent que les jeunes gens quittent l'endroit pour traverser la rue. Ils dévalèrent alors l'escalier qui menait à un parc, en contrebas, découvrirent un autre escalier un peu plus loin et continuèrent leur descente dans l'espoir de déboucher bientôt sur une rue principale où ils pourraient sauter dans un taxi. Chaque voiture qui passait leur donnait des sueurs froides.

À bout de souffle, ils arrivèrent à The Boulevard. La circulation à 22 heures passées n'y était pas très dense, et ils restèrent de longues minutes à une intersection, Xavier un peu en retrait, par prudence, et Maude à l'avant-poste, scrutant l'horizon sans voir un seul taxi. Le découragement s'emparait d'eux quand, enfin, Maude en aperçut un au loin et se mit à faire de grands gestes. L'automobile stoppa. Ils s'y engouffrèrent, et la jeune femme donna l'adresse de son hôtel. Le chauffeur ne parut pas se rendre compte que Xavier était en robe de chambre.

C'est avec un immense soulagement qu'ils franchirent le seuil du petit établissement. En refermant la porte de sa chambre, Maude envoya balader sac et chaussures et se jeta sur le lit. Xavier, lui, se laissa tomber dans le fauteuil. Ils étaient en sécurité, mais épuisés et affamés. Maude s'inquiétait pour son compagnon, qui avait les traits tirés. Il fallait qu'il puisse prendre du repos. Gentiment mais fermement, elle lui offrit de dormir dans le lit.

— Je prendrai le fauteuil. Nous devrons, hélas, nous coucher le ventre creux, mais demain, j'irai faire des provisions.

Xavier ne protesta que faiblement car il était à bout.

— Comment vous remercier de ce que vous faites pour un vieux monsieur que vous ne connaissez pas… Et je ne vous ai même pas demandé votre nom !

Maude rougit légèrement.

— Je porte le prénom de ma grand-mère.

Après tout ce n'était qu'un demi-mensonge…

— Maude ! Vous vous appelez Maude, cela me fait plaisir. Vous lui ressemblez tant ! Quand pourrai-je la voir ? J'y pense depuis mon arrivée à Montréal.

— Xavier, il est tard. Nous mettrons les choses au clair demain. Moi aussi, j'ai de nombreuses questions à vous poser. Mais pour le moment, repos. Tenez, passez à la salle de bain tout de suite, j'irai après vous. J'ai besoin d'un long bain chaud.

En ouvrant les draps pour Xavier, Maude souriait de la situation peu banale où elle se trouvait : elle partageait une chambre d'hôtel avec un ancien amoureux de soixante-dix ans qui la prenait pour la petite-fille de celle qu'il avait aimée un demi-siècle auparavant. Comment le détromper ?

Lorsqu'elle sortit à son tour de la salle de bain, Xavier dormait comme une souche. Elle regardait sa belle tête aux cheveux blancs, bouclés – jadis, elle lui disait qu'il avait des cheveux de fille –, les traits réguliers de son visage, sa bouche aux lèvres pleines. Cet homme gardait de la séduction, même à son âge. Il n'avait pas perdu toute ressemblance avec l'Apollon qu'il avait été. Quel effet il produisait, se rappelait Maude, quand il entrait quelque part, portant sa jeunesse et sa beauté comme un habit de lumière ! Tous les regards se tournaient vers lui. Le monde était à ses pieds. Il n'avait même pas à se pencher pour cueillir toutes celles qui soupiraient pour être à son bras.

Les portes s'ouvrent devant la beauté. L'amour, la gentillesse, l'indulgence naissent spontanément. Mais l'âge, comme la mort, est le grand niveleur. L'habit de lumière se ternit peu à peu, et il faut descendre du piédestal où l'on trônait. Il n'y a que peu d'exceptions à la règle.

Maude savait cela, elle l'avait vécu, sans amertume ni regrets inutiles, mais elle l'avait vécu et s'avouait honnêtement que ça n'avait pas toujours été facile de faire le deuil de l'admiration, de la séduction ; de se trouver tout à coup dans la cohorte de celles que l'on ne regarde plus. Elle aurait voulu pouvoir se détacher complètement de cette vanité, mais même à soixante-dix ans, il lui arrivait encore parfois de se chagriner des changements qu'elle observait sur son corps, sur son visage... Soudain, dans le miroir de la commode, elle aperçut ce visage rajeuni, radieux, et une bouffée de bonheur l'envahit, accompagnée d'un bienheureux sentiment de sécurité, d'une toute puissante certitude : la certitude de plaire. Doucement, elle remonta les couvertures sur les épaules de Xavier avec une tendresse presque maternelle.

Il était une heure du matin. Elle tombait de sommeil et la perspective de passer la nuit recroquevillée dans le fauteuil ne lui souriait guère. Le lit était si grand et Xavier dormait si profondément, il ne s'en rendrait même pas compte... En se glissant entre les draps, elle pensa, avec un sourire : « Cher Xavier... Dire que lorsque nous étions jeunes tous les deux, il aurait tant aimé que nous dormions ensemble et que je n'ai jamais voulu... »

L'ancien amoureux était réveillé depuis longtemps quand Maude ouvrit les yeux le lendemain. Assis devant la fenêtre, il contemplait mélancoliquement le ciel gris.

— Oh ! Pardonnez-moi, je ne croyais pas dormir si tard.

— Rassurez-vous, il n'est que 9 heures, mais un vieux bonhomme comme moi s'éveille toujours tôt. Vous avez bien fait d'opter pour le lit, ajouta-t-il, un brin de malice au coin de l'œil. Je n'osais pas vous le proposer hier, de peur que vous ne vous mépreniez.

Maude y alla, pour la forme, d'un petit « oh ! » de protestation et sortit du lit.

— Je m'habille rapidement et je descends chercher de quoi manger. Je meurs de faim. Pas vous ?

Trente minutes plus tard, ils déjeunaient de bon appétit avec ce qu'elle avait pu trouver : café, brioches, fromage. Quand Xavier s'informa à nouveau de sa grand-mère et du moment où il pourrait la voir, elle évita de répondre.

— D'abord, vous ne pourrez aller nulle part en pyjama. Tout à l'heure, j'irai vous acheter quelques vêtements.

Il se rembrunit.

— Je suis terriblement confus de dépendre ainsi de vous. Soyez certaine que je vous rembourserai. Dès ce matin, j'appellerai mon chargé d'affaires à Vancouver et je lui expliquerai que je suis dans une situation d'urgence.

— Ne vous en faites pas pour cela, je vous en prie. Finissez plutôt l'histoire de votre belle-fille. Vous me disiez hier qu'elle avait rencontré Rochester il y a une dizaine d'années.

— C'est exact. Déjà à ce moment-là, il travaillait à ce que j'appellerais un élixir de jeunesse éternelle…

Maude dressa l'oreille.

— Cela coïncidait avec les préoccupations de Dorothy en ce sens et je crois qu'ils se sont associés. Je dis « je crois », car c'est à cette époque qu'Iris, ma femme, est tombée malade et que j'ai cessé de m'intéresser aux affaires de la Glenn Beauty Products. Quand je suis revenu de mon long voyage, après la mort de mon épouse, j'ai appris que Dorothy et Rochester avaient déjà plié bagage pour venir s'installer au Québec où, paraît-il, ils avaient de grands projets.

— Pourquoi ont-ils quitté l'Ouest ?

— Ce n'est pas clair. Tout ce qui entoure les activités de ce Rochester baigne dans le mystère. Cet homme ne m'inspire pas confiance.

Xavier se leva.

— Quand ma belle-fille m'a pressé de venir à Montréal pour me parler d'une affaire en or dans laquelle investir, je me suis fait tirer l'oreille. À mon âge, ce n'est plus le temps d'investir. Mais elle insistait tant que je me suis dit : allons vérifier. Et ce fut le déclic : soudain, le goût de revoir le Québec, après tant d'années, est devenu très fort. J'ai fait mes bagages et, quelques jours plus tard, j'arrivais chez Dorothy. C'est là que j'ai eu la plus grande surprise de ma vie : au lieu de la femme de cinquante-quatre ans, certes encore très belle, que je m'attendais à voir, j'avais devant moi une jeune femme d'à peine vingt-cinq ans !

Tout à son récit, Xavier ne s'aperçut pas de la pâleur de Maude. C'est quand elle glissa de sa chaise sur le plancher qu'il s'affola.

— Maude, qu'avez-vous?

Il la transporta sur le lit. Au bout de quelques minutes, elle revint à elle avec une migraine féroce. Sa tête roulait sur l'oreiller. Elle croyait tout comprendre: Dorothy, Rochette, le nouveau remède... Quand elle ouvrit les yeux, elle vit Xavier penché sur elle avec inquiétude.

— Ça va mieux?

— Oui. Je ne sais pas ce qui m'est arrivé. J'ai sans doute besoin de prendre l'air, dit-elle en se levant. Je vais partir tout de suite pour faire les achats. Il est près de 11 heures. Dans deux heures au plus tard, je serai de retour. La télé est là, si vous en avez envie...

Dehors, le temps frisquet acheva de la ranimer. Sans le savoir, Xavier lui avait donné la clé du mystère de son propre rajeunissement. Il avait constaté sur sa belle-fille les résultats prodigieux de l'invention de Rochette. Elle pouvait donc tout lui dire, maintenant.

À La Baie, elle trouva facilement ce qu'il fallait à son compagnon. Elle avait l'habitude. En quarante ans de mariage, Gilbert ne s'était jamais acheté lui-même ne serait-ce qu'une cravate. C'était elle qui s'occupait de sa garde-robe et décidait chaque jour de ce qu'il allait porter. Lui n'avait que peu d'intérêt pour l'élégance vestimentaire. Elle acheta deux chemises, un pantalon, des sous-vêtements, trois paires de chaussettes, un blouson léger, un rasoir et des articles de toilette. Pour les chaussures, elle choisit des baskets et, sa mission terminée, elle reprit le chemin de l'hôtel.

Elle trouva Xavier en proie à une grande agitation.

— Maude, enfin !

— Je ne suis pas en retard.

— Non, mais j'étais impatient de vous voir arriver. J'ai une mauvaise nouvelle : votre grand-mère a disparu. On en a parlé au téléjournal. Personne ne l'a vue depuis trois jours, selon la concierge. J'ai eu un tel choc en voyant son nom et sa photo à l'écran. Je l'ai reconnue tout de suite. Elle est restée si belle ! Maude, vous ne m'avez rien dit encore. Serait-elle... serait-elle atteinte de...

Il n'osait prononcer le mot. Son visage exprimait à la fois inquiétude et compassion. Le cœur de Maude battait la chamade. Le moment de s'identifier était venu.

En le regardant droit dans les yeux, elle dit doucement :

— Ne t'inquiète pas, Xavier. Je ne souffre pas d'Alzheimer.

Silence. D'abord, ce fut le tutoiement qui sembla étonner Xavier. Il la dévisageait, cherchant à comprendre.

— Je... Qu'est-ce que cela signifie ? Qu'est-ce que cela signifie ?

Le ton avait monté d'un cran, avec une nuance de reproche. Maude le fit asseoir.

— Écoute-moi. Je peux te dire la vérité, à présent, je sais que tu me croiras.

Et elle lui raconta le matin du 25 mai, sa stupeur, ses craintes.

— Pendant deux jours, je me suis terrée dans mon appartement. Je n'osais parler à personne de ce qui venait de m'arriver, de peur d'être prise pour une folle. Mais il a bien fallu que je sorte pour acheter de quoi manger et m'habiller. Et c'est à ce moment-là que nous nous sommes vus Chez Manet. Parce que je t'ai reconnu presque tout de suite, moi aussi. Seulement, j'ai pris peur quand tu m'as abordée. Je ne sais pas ce que j'aurais pu te dire.

Xavier avait écouté Maude sans l'interrompre, une petite flamme joyeuse au fond du regard.

— Si tu savais comme je suis heureux ! En arrivant à Ville Le Ber, je redoutais tellement d'apprendre que tu n'étais plus de ce monde. Tu n'imagines pas à quel point j'ai été bouleversé en croyant voir ton sosie parfait dans ce restaurant. Il fallait que je te parle. Car, vois-tu, je ne pouvais pas t'avoir oubliée : cette photo que j'ai laissée chez toi, l'autre jour, ne m'a jamais quitté.

Une petite émotion se pointait chez l'un comme chez l'autre.

— Et Gilbert ? s'informa Xavier.

— Gilbert est mort il y a huit ans.

— Ah... fit seulement l'ancien amoureux.

Pourquoi se sentait-il soudain plus léger ?

Mais ce n'était pas le moment de se raconter leur vie, il fallait prendre une décision, pensait Maude. Tout d'abord, informer la concierge qu'elle était saine et sauve et lui dire de prévenir la police.

— C'est bête de ne pas avoir pensé à lui glisser un mot sous sa porte. J'étais trop pressée de partir à ta recherche.

— Tu as été ma providence. Je n'aurais pas pu m'enfuir seul cette fois, et ils auraient probablement réussi à me droguer suffisamment pour me faire perdre la raison ou me rendre très malade. Crois-moi, ils ne s'en tireront pas comme ça !

Pendant que Maude donnait son coup de téléphone à madame Sirois, Xavier alla dans la salle de bain essayer les vêtements qu'elle lui avait achetés. Il en ressortit élégant et rasé de près, content d'avoir pu enfin abandonner son pyjama.

— Tout est parfait, et je te remercie. Je me sens un homme nouveau.

— L'homme nouveau a-t-il une idée de ce que nous allons faire à présent ?

Xavier sourit.

— Oui, madame la moqueuse. Je suggère que nous retournions à Ville Le Ber aujourd'hui même pour récupérer la fiole du prétendu médicament que tu as pris. Crois-tu qu'il pourrait en rester quelques gouttes ?

— Peut-être.

— Ce serait suffisant pour une analyse. Nous la remettrons à la police.

Il continua, songeur :

— Ce diable d'homme a donc réussi à concocter ce dont l'humanité rêve depuis toujours : la recette de la jeunesse éternelle. Reste à savoir ce qu'elle contient. Je crains – espérons que je me trompe – qu'il y ait là-dessous un sordide trafic d'organes humains. Ce qui serait une bien bonne raison de rester discret. Dorothy m'a parlé de plantes très rares qui ne poussent qu'au Brésil et que Rochester se procure à des coûts astronomiques. Mais il m'a semblé qu'elle ne me disait pas tout. Pourquoi garder le secret sur une découverte aussi stupéfiante ? Elle m'a répondu que Rochester voulait d'abord poursuivre ses recherches et améliorer sa potion pour qu'un jour, il ne soit plus nécessaire de prendre trois doses par année pour maintenir les résultats.

Maude ouvrit de grands yeux.

— Trois doses par année ?

— Oui. Et à vingt-cinq mille dollars chacune !

— Quoi ! s'écria la jeune femme, consternée. À ce prix, je me demande combien de personnes peuvent se payer des doses régulières. Sa clientèle ne doit pas être bien nombreuse.

— Au dire de Dorothy, ce sont surtout de très riches Sud-Américaines, et elles sont plus nombreuses que tu ne pourrais le croire.

Maude garda le silence un moment, tentant de digérer sa déception. Le couperet venait de tomber. Elle avait maintenant la réponse à deux de ses questions : Comment ? Et pour combien de temps ? Quelques mois. Sa seconde jeunesse ne durerait, au mieux, que quelques mois. Même si elle avait eu les moyens de s'abonner au philtre de jouvence, avec ce que soupçonnait Xavier, elle ne le ferait pas. Alors... inutile de s'apitoyer. Elle se secoua.

— Bon, partons pour Ville Le Ber. Mais nous ne pourrons pas loger dans mon immeuble. Je préfère ne pas me montrer le nez là-bas, jusqu'à nouvel ordre. J'ai une autre solution : la maison de mon amie Henriette. Te souviens-tu d'Henriette Savard, celle qu'on surnommait la Esther Williams de la Rive-Sud ?

— Bien sûr. Une grande brune, un peu brusque et très indépendante.

— C'est tout à fait ça ! dit Maude en riant. Elle est à Québec en ce moment, mais je sais où la joindre.

Quand elle eut Henriette au bout du fil, elle expliqua brièvement la situation sans tout dévoiler et lui parla du retour de Xavier. Les hauts cris de son amie parvenaient aux oreilles de ce dernier, qui s'en amusait.

— Fais-moi confiance, disait Maude. À ton retour, tu sauras tout. Et attends-toi à une surprise en me voyant. Merci et à bientôt.

Elle se tourna vers Xavier :

— C'est fait. Henriette va prévenir sa voisine que des amis à elle vont habiter sa maison en son absence. Elle nous remettra les clés et Ronron.

— Ronron ?

— C'est son teckel adoré. Tu sais comment Henriette t'a appelé ? Le Don Juan de Ville Le Ber.

— Une mauvaise réputation sûrement méritée, admit Xavier, avec un air faussement contrit.

Une heure plus tard, ils descendaient devant le cottage d'Henriette. La voisine, Lucienne Vigeant, était dans son jardin. Elle les salua aimablement, leur donna les clés et le petit chien, qui lécha tout de suite la main de Maude.

— C'est curieux, on dirait qu'il vous connaît, observa-t-elle.

Pendant que Xavier cherchait à joindre son chargé d'affaires à Vancouver, Maude se rendit à l'épicerie pour acheter quelques provisions. À son retour, c'est un Xavier furieux qui lui ouvrit.

— Mes pires soupçons sont maintenant confirmés : ma belle-fille a déjà téléphoné à John pour lui faire part de ses inquiétudes au sujet de ma santé mentale.

— Mais c'est affreux ! s'exclama Maude. Pourquoi lui dire cela ?

— Pour semer un premier doute dans son esprit, en attendant de réussir à me rendre vraiment fou. Depuis la mort de ma femme, c'est Dorothy qui a le mandat d'inaptitude et la procuration. C'est certain qu'elle est prête à me dépouiller purement et simplement, afin de pouvoir continuer ses affaires douteuses avec Rochester.

Maude était atterrée.

— Mais Dorothy ne t'aime donc pas ?

— Je me demande si elle a jamais aimé quelqu'un d'autre qu'elle-même. Cette obsession de jeunesse et de beauté a toujours été le centre de sa vie et en a fait une proie idéale pour Rochester. Il avait la science, elle, l'argent et la motivation.

— Crois-tu qu'elle t'ait fait venir dans l'intention de te forcer la main ?

— Peut-être pas sur le coup. Mais de toute évidence, c'était l'option en cas de refus de ma part. C'est quand elle a compris que je ne marcherais pas que, mystérieusement, mes malaises ont commencé : perte de mémoire, confusion, étourdissements. Après quelques épisodes, elle m'a dit, pleine de sollicitude : « Beau-papa, je ne te laisse pas retourner à Vancouver dans cet état. Je t'emmène à la maison de repos où le docteur Hernandez va t'examiner et nous en aurons le cœur net. »

Xavier s'arrêta. Sous la colère, Maude devinait le profond chagrin. Un tel cynisme, un tel manque de cœur de la part de sa belle-fille, à qui il avait toujours témoigné soutien et affection, le dépassait. Elle le vit soudain vieilli, lui qui ne faisait pas son âge, et voua secrètement Dorothy aux gémonies. Sans rien dire, elle mit affectueusement la main sur son épaule.

— Essayons d'oublier nos soucis le temps d'un bon repas, tu veux bien ? Tiens, ouvre la bouteille de vin et sers-nous à boire pendant que je cuisine.

Ils dînèrent agréablement. Xavier se détendait.

— Quel plaisir de manger sans crainte d'être empoisonné ! Tu es un chef émérite, tout est délicieux.

— C'est que, malgré les apparences, j'ai plusieurs décennies d'expérience.

Xavier souriait en la regardant avec un air rêveur, et Maude devinait le cheminement de sa pensée : c'était le même que le sien. Pour lui, le temps était aboli, il la revoyait telle qu'il l'avait quittée cinquante ans auparavant. Les souvenirs de leur relation d'alors et de son brusque départ refaisaient surface.

Comme s'il sentait le moment venu de donner une explication, fût-elle inutile après tant d'années, Xavier commença.

— Tu sais, Maude, tu as bien fait de choisir Gilbert, autrefois. Il te méritait plus que moi. Je t'aimais, mais j'aimais aussi ma liberté ; je voulais devenir un grand peintre et conquérir le monde. J'étais gonflé de vanité et d'égoïsme. Tout m'était dû et je désirais tout avoir. En m'enrôlant et en partant sans te dire adieu, je cherchais à te punir. Te punir de ne pas te pendre à mon cou. Par la suite, l'orgueil m'a empêché de t'écrire. Après, c'était trop tard, je suis passé en Angleterre et l'action a commencé. Mais j'ai toujours gardé ta photo sur moi. Elle était devenue le symbole de ma jeunesse et la preuve qu'il y avait eu une vie heureuse avant cet horrible conflit…

Il se tut, le regard lointain. Puis, il continua sur un ton plus léger.

— Cette confession sincère mérite-t-elle votre absolution, chère amie ?

— Il y a longtemps que j'ai compris tout cela, et je n'ai rien à te pardonner, répliqua Maude avec une indulgence un peu moqueuse. Cependant, je serai d'accord avec toi sur un point : tu étais un bien mauvais sujet.

— Buvons à ma conversion, dit Xavier en levant son verre.

— À ta conversion, reprit la jeune femme, et puisse-t-elle être complète et définitive.

Ils trinquèrent joyeusement.

— Ne crains rien, murmura Xavier, grave de

nouveau, la guerre s'est chargée de me remettre à ma place.

Maude sentit l'oiseau noir des mauvais souvenirs planer un moment dans l'air et, pour faire diversion, elle allait proposer une partie d'échecs quand le téléphone sonna. C'était Henriette qui annonçait son retour pour le lendemain.

— J'aurais pu le jurer, dit Maude en raccrochant. Elle est tellement curieuse d'en savoir davantage qu'elle revient plus tôt que prévu.

Il se faisait tard et elle voulut installer Xavier dans la chambre d'amis, mais il refusa. Il dormirait sur le divan du salon, qui semblait très confortable.

— À ta guise. Mais je te préviens, tu auras la compagnie de Ronron, qui est habitué de dormir avec sa maîtresse.

Xavier prit le petit chien dans ses bras.

— Il sera le bienvenu. Bonne nuit, Maude.

Il l'embrassa sur la joue.

— Bonne nuit, Xavier.

Le lendemain, premier debout, il fit sa toilette, puis sortit dans le matin frais avec Ronron, qui réclamait sa promenade. Au retour, comme Maude dormait encore, Xavier mit la table, y déposa, dans un petit vase, une fleur du jardin et prépara le café.

Quelques minutes plus tard, la porte de la chambre s'entrouvrait sur la mine ébouriffée de la jeune femme.

— Ah... l'arôme du café est le réveille-matin le plus efficace qui soit. Donne-moi cinq minutes.

Elle réapparut, souriante et lumineuse dans un peignoir rose-orangé. Xavier attacha sur elle un regard plein d'admiration.

— Tu es en beauté.

— J'ai bien dormi. Et toi ? Ronron n'a pas été trop remuant ?

— Je n'ai pas très bien dormi, mais ce n'est pas à cause du chien, ni du divan. C'est la situation... Nous en reparlerons après le petit déjeuner. Assieds-toi.

Pendant qu'ils sirotaient leur deuxième tasse de café, Xavier fit part à Maude de sa conversation téléphonique de la veille avec son chargé d'affaires. John lui avait vivement conseillé d'aller à la police le plus tôt possible pour dénoncer sa séquestration et les agissements criminels de Dorothy.

— Il m'a affirmé qu'il y en a suffisamment pour les faire coffrer. En ce qui te concerne, Rochester a commis une grave faute d'éthique médicale en t'utilisant comme cobaye à ton insu. Il a mis ta santé et peut-être même ta vie en danger sans le moindre scrupule.

— Et dire que je me suis tout de suite doutée que c'était son remède qui avait produit le « miracle ». Mais je n'ai pas osé aller le voir, ni même lui téléphoner pour avoir des explications. Je n'ai rien dit à personne et je me suis précipitée dans les boutiques pour m'acheter des fringues, dans l'espoir que ça dure toujours.

— Mais c'est grâce à cela que nous nous sommes rencontrés Chez Manet et que je ne suis pas aujourd'hui cloué sur un lit, à moitié gaga. Tu m'as sauvé. J'espère que tu ne le regrettes pas, ajouta-t-il en souriant.

— Bien sûr que non, voyons ! s'écria Maude. Je me demande seulement pourquoi il m'a choisie, moi, pour son expérience...

— À mon avis, parce que tu présentais le profil de la cliente potentiellement parfaite : une femme âgée, encore belle, mais l'ayant été d'une manière extraordinaire dans sa jeunesse et qui, d'après lui évidemment, serait sans doute prête à dépenser gros pour retrouver ce temps glorieux. Il t'a fait cadeau d'une dose en espérant bien te vendre les deux autres plus tard.

— Il me croyait probablement plus riche que je ne le suis.

— Ça, c'est certain. Quoi qu'il en soit, tu as déjoué ses plans en n'allant pas te montrer, en ne communiquant pas avec lui. Notre savant apothicaire doit se poser bien des questions en ce moment.

Un peu plus tard dans la matinée, Xavier reçut la visite de l'homme de confiance de John, à Montréal, qui lui remit une forte somme d'argent. Sans un sou depuis deux jours, sans papiers, sans cartes de crédit, il trouvait sa posture plutôt inconfortable.

— Dorénavant, je prendrai tous les frais à ma charge et ne tolèrerai aucune dérogation.

Elle s'inclina.

— Je n'oserais jamais vous désobéir, monsieur Moreau.

— Fausse soumise, va.

Ils passèrent un après-midi calme et agréable dans le petit jardin d'Henriette. Maude en profita pour nettoyer un peu les plates-bandes. Depuis qu'elle vivait en appartement, elle n'avait plus l'occasion de jardiner et cela lui manquait. Xavier la regardait évoluer, tout en flattant le dos de Ronron, installé sur ses genoux.

Avant même le claquement de la portière, le petit chien dressa l'oreille et se rua vers la maison en jappant joyeusement: sa maîtresse venait d'arriver. Ils se hâtèrent à l'intérieur, mais Maude resta dans la cuisine pendant que son compagnon, précédé du chien, accueillait Henriette. Elle entendit son amie s'exclamer, après avoir reçu Ronron dans ses bras:

— Xavier Moreau! Mon doux seigneur! Je n'aurais jamais cru que je te reverrais un jour. T'es encore bel homme, dis-donc. C'est pas juste: regarde comme j'ai grossi, moi.

Il l'embrassa sur les deux joues, très heureux lui aussi de la revoir, et la remercia pour l'hospitalité.

— Et maintenant, dit-il un brin solennel, assieds-toi, tu vas avoir un choc... Maude?

Maude entra lentement au salon. Henriette la dévisagea avec des yeux hagards.

— Ce n'est pas possible, ça ne peut pas être toi! Expliquez-moi, autrement je vais croire que je suis devenue maboule.

— Tu vas tout savoir, lui dit calmement Maude. Mais d'abord, je vais te débarrasser de ta valise et te faire une tasse de thé. Après, nous causerons.

Henriette ne la quittait pas des yeux, n'arrivant pas à y croire.

— Donne-moi le nom de ta potion magique, que j'en prenne aussi !

Surpris et amusés, Maude et Xavier se regardèrent.

— C'est justement de cela qu'il s'agit.

— Mes aïeux ! s'exclama Henriette, abasourdie.

Quand elle sut tout de A à Z, y compris les soupçons de Xavier sur la nature de l'élixir et les risques qu'il avait fait prendre à Maude, Henriette passa cinq bonnes minutes à vilipender le pharmacien.

— Je vais aller vous la chercher, cette fiole. Maude, passe-moi tes clés.

Pas question de se reposer ni d'attendre à demain. Avec l'ancienne championne, tout marchait rondement.

Une demi-heure plus tard, elle était de retour, exhibant la petite bouteille comme un trophée.

— Et la cerise sur le gâteau, c'est que notre grand savant s'est informé de ta santé, Maude, et a prié la concierge de le prévenir quand tu reviendrais de la Gaspésie, où paraît-il tu soignerais ton arthrite ?

— C'est en effet ce que j'ai raconté à madame Sirois pour expliquer mon absence prolongée.

— Rochester aimerait bien savoir si son philtre a opéré, hein ? observa Xavier. Nous irons à la Sûreté dès demain.

Il enveloppa soigneusement le flacon dans son mouchoir et le mit dans sa poche.

— Xavier, raconte-nous un peu ta vie depuis que tu as quitté Ville Le Ber, en 41.

Ils avaient terminé un excellent repas, arrosé d'un excellent vin, et savouraient maintenant une liqueur au salon.

— Hum… Vous permettez que je résume ? Sinon on en a pour la nuit… Je me suis marié en 45, tout de suite après la guerre, avec une jeune Anglaise qui travaillait pour les forces armées. Nous attendions un enfant. Je l'ai emmenée à Vancouver, où mon père avait besoin de moi, sans comprendre que Lisa était une fleur que l'on ne peut pas transplanter. L'Angleterre, sa famille, Londres, même dévastée, lui manquaient terriblement. Elle ne s'adaptait pas au Canada et à notre façon de vivre. Quand le malheur nous a frappés et que notre fils de quatre ans est mort de la typhoïde, ce fut la fin de notre mariage. Elle est rentrée dans son pays aussitôt le divorce prononcé. Mais nous sommes restés amis, et j'ai su qu'elle s'était remariée et avait eu un autre fils. Elle est décédée il y a deux ans.

— Tu avais abandonné la peinture ?

Henriette voulait tout savoir.

— La guerre avait tari en moi toute inspiration. J'arrivais d'Europe avec une femme enceinte, il me semblait que j'avais des choses plus utiles à faire que de barbouiller des toiles avec plus ou moins de talent. J'ai donc travaillé dans la société immobilière que mon père avait fondée en arrivant dans l'Ouest. À sa mort, dix ans plus tard, j'en suis devenu propriétaire et directeur. Le succès ne s'est jamais démenti depuis. Quand ma seconde femme est tombée malade, j'ai laissé la direction pour pouvoir m'occuper d'elle. Maintenant que vous connaissez l'essentiel de ma vie, j'attends vos récits, mesdames.

— Moi, c'est simple, commença Henriette, ma biographie tiendrait en un paragraphe. À dix-huit ans, j'étais championne de natation. J'ai fait le tour de la province, gagné plusieurs médailles, formé d'autres nageuses ; un jour on m'a offert un poste en éducation physique à l'école secondaire de Ville Le Ber, et j'y suis restée jusqu'à la retraite. J'ai voyagé, j'ai eu tous les hommes que j'ai voulus, et c'est par choix si je suis demeurée célibataire. Il y a quinze ans, j'ai acheté cette maison et je vis heureuse avec mon Ronron et mon jardin.

Xavier souriait.

— Quelle existence active et sans complications ! Tu es une privilégiée, Henriette.

— J'ai toujours admiré son audace et son indépendance, renchérit Maude, moi qui n'ai jamais eu le courage de réaliser les exploits dont je rêvais. Peut-être parce que j'ai été trop couvée, par mes parents d'abord, puis par mon mari pendant plus de quarante ans. J'ai l'impression d'avoir manqué un bateau quelque part.

— Avec ta seconde jeunesse, tu pourrais essayer de te reprendre, suggéra Henriette. Tiens, je propose de planifier un beau grand voyage pour l'été qui vient. Tu n'es jamais allée en Europe, il est plus que temps de te faire voir le monde. Je passerai pour ta grand-mère, mais ça m'est égal.

Maude riait.

— Tu oublies que ma seconde jeunesse sera de courte durée.

— À plus forte raison !

La vieille amie ne se démontait pas facilement. Consulté, Xavier trouva que c'était une excellente idée.

— Tu vois, Maude, Xavier est d'accord. Et maintenant, que diriez-vous d'un peu de jazz ?

Henriette sortit sa collection de vieux standards américains, et ils écoutèrent, un sourire nostalgique aux lèvres, ces refrains qu'ils aimaient et sur lesquels ils avaient tant dansé jadis. Aux premiers accords de *Moonlight Serenade*, Xavier se leva et vint cérémonieusement s'incliner devant Maude.

— Mademoiselle, me ferez-vous l'honneur de cette danse ?

— Mais comment donc, cher monsieur !

Presque immédiatement, ils retrouvèrent l'harmonie qui faisait d'eux, dans leur jeunesse, le couple vedette des soirées dansantes. Les yeux fermés, Maude revivait un certain soir d'été de 1939. La même musique, la même danse dans les bras de Xavier qui lui murmure, en la serrant fort contre lui : « Je t'aime comme un fou, tu sais. »

Elle est heureuse. Ils ont dix-neuf ans tous les deux. Puis, le lendemain de cet aveu brûlant, Xavier part en week-end sans prévenir, en compagnie d'une très jolie fille, un modèle qui posait nue, et de quelques copains de l'École des beaux-arts.

Blessée, Maude en conclut que le beau jeune homme n'est pas sincère et lui ferme sa porte pendant des semaines. Mais il trouvait toujours le moyen de se faire pardonner.

Moonlight Serenade étirait ses dernières notes, et Maude ouvrit des yeux qui brillaient. « Tiens, tiens… » observa Henriette. Xavier aussi semblait sortir d'un rêve heureux. Il baisa la main de sa partenaire, continuant à jouer les galants d'un autre âge.

Le lendemain, dimanche, comme il faisait beau et plus chaud que de coutume, ils avaient déjeuné au jardin et s'y attardaient. Xavier, étendu dans la chaise longue, offrait sa « carcasse » au soleil et semblait heureux. Henriette énumérait à Maude les fleurs qu'elle allait planter ces jours prochains, quand, après un regard circulaire, elle s'écria :

— Je ne vois pas Ronron. Où est-il ?

Elle l'appela, vérifia à l'intérieur, revint au jardin.

— Il n'est nulle part. Ce chien fait des fugues. Il est ami avec tout le monde ! Un jour quelqu'un me le volera. Je pars à sa recherche.

— Je vais avec toi, dit Maude. Mais, reste là, toi Xavier, repose-toi. Nous ne serons pas longtemps.

Henriette partit à gauche, Maude à droite. Elle marchait déjà depuis plus de cinq minutes, jetant un œil dans les cours, appelant le chien de temps à autre. Rien. « Encore un coin de rue et je rebrousse chemin », se dit-elle. Il était près de 14 heures. Peu de gens dans les rues le dimanche après-midi, dans une petite ville. Elle ne vit pas la voiture qui roulait doucement derrière elle depuis quelques secondes et, lorsqu'elle se retourna, il était trop tard. L'auto s'était arrêtée. Le grand rouquin en jaillit comme un clown d'une boîte à surprise et la poussa sans ménagement à l'intérieur, avant même qu'elle ait pu jeter un cri.

— Ah, te voilà, toi !

Ronron, nullement penaud, venait vers sa maîtresse en frétillant comme si de rien n'était. Henriette le prit dans ses bras.

— Vilain garnement. Tu ne sais donc pas que je m'inquiète ?

En rentrant, elle s'étonna que Maude ne soit pas encore revenue. Cela faisait près d'une demi-heure qu'elles s'étaient séparées devant la maison. Xavier commençait à s'inquiéter. Soudain, un coup de sonnette frénétique les fit sursauter. C'était la voisine, hors d'haleine.

— Votre amie vient d'être enlevée dans la rue !

— Quoi ! s'écrièrent Xavier et Henriette, terriblement alarmés.

Lucienne s'assit, la main sur le cœur et, entre deux halètements, leur raconta ce qu'elle avait vu.

— Je sortais de chez une copine et j'ai reconnu votre amie sur le trottoir d'en face. Un homme est sorti brusquement d'une voiture qui venait d'arrêter et l'a poussée dedans. C'était plus loin, en gagnant le centre-ville. J'ai couru jusqu'ici.

— Merci mille fois, Lucienne, nous te sommes très reconnaissants.

Tout pâle Xavier marchait nerveusement dans la pièce.

— Henriette, c'est moi qu'ils cherchent, dit-il dès que la voisine fut partie. Ils veulent la questionner à mon sujet, j'en suis sûr.

— Où crois-tu qu'ils vont l'emmener ?

— Probablement à la Maison Rochester.

— Alors, partons tout de suite pour Montréal et allons à la Sûreté. N'oublie pas la « sainte fiole » !

Elle confia une fois de plus son teckel à Lucienne, et ils sautèrent dans la voiture.

Coincée entre Barbe-Rousse et une jeune fille éplorée en qui elle reconnut la réceptionniste que l'on avait sans doute emmenée pour l'identifier, elle, Maude attaqua.

— Qu'est-ce que c'est que ces manières ? Je vous reconnais, messieurs, c'est vous qui avez emmené monsieur Moreau, l'autre jour, et vous, mademoiselle la remplaçante, que me voulez-vous ? Je vous préviens que j'ai des amis qui se mettront à ma recherche s'ils ne me voient pas revenir d'ici quelques minutes.

Le rouquin ouvrit la bouche, mais elle poursuivit.

— Et puis d'abord, qu'avez-vous fait de monsieur Moreau ? Je n'ai pas pu le voir, il n'y avait personne sur l'étage. J'ai attendu, puis je suis retournée à la réception, mais vous n'étiez pas là, mademoiselle. Alors, comme je n'avais pas beaucoup de temps, je suis repartie.

Maude mentait avec un aplomb qui l'étonnait elle-même. Elle sentit l'infirmier imperceptiblement ébranlé.

— Xavier Moreau s'est encore enfui, ma p'tite dame, et je suppose que vous n'y êtes pour rien?

Sans répondre à sa question, elle s'indigna.

— Comment, enfui? Quelle sorte de surveillance des malades y a-t-il donc dans votre clinique? J'ai vu que cet homme n'avait pas l'air de vous suivre de son plein gré et j'ai voulu aller vérifier moi-même comment on le soignait car, voyez-vous, monsieur, je travaille aux Services sociaux et suis bien placée pour dénoncer les mauvais traitements faits aux personnes âgées.

Elle parlait avec tant de feu et d'autorité que, cette fois, le rouquin sembla décontenancé. L'idée d'une visite possible de quelque vérificateur que ce soit à la Maison Rochester l'embêtait manifestement. Maude n'avait sur elle aucune pièce d'identité, il était donc impossible à Barbe-Rousse de vérifier ses dires. Radouci, il sentit le besoin de plaider la cause de la clinique.

— Notre maison traite ses malades avec le plus grand respect et nous n'avons pas besoin d'inspection, mais nous croyons que monsieur Moreau a eu de l'aide pour s'enfuir cette fois et, comme vous êtes la seule personne étrangère à avoir pénétré dans la maison ce jour-là…

— C'est insensé! Comment aurais-je fait? Je vous signale qu'avec la fonction que j'occupe, j'aurais d'abord prévenu les autorités responsables, si quelque chose m'avait paru irrégulier, avant d'aider un malade à prendre la clé des champs. Il y avait des ouvriers autour. Avez-vous enquêté de ce côté-là?

Le rouquin se mordit les lèvres. Maude avait donné dans le mille. Il ne savait vraiment plus que faire.

— Depuis combien de temps connaissez-vous monsieur Moreau ?

— Je ne l'avais jamais vu avant l'autre matin. Il m'a abordée dans la rue.

— Il faut que nous le retrouvions coûte que coûte. Sa belle-fille veut le ramener chez elle.

L'infirmier essayait de donner le change.

— Alors, monsieur, allez à la police donner son signalement et laissez-moi tranquille.

Barbe-Rousse prit une brusque décision.

— Fais demi-tour, ordonna-t-il au chauffeur.

Comme celui-ci amorçait la manœuvre, une voiture bleue les dépassa, et Maude reconnut la Honda d'Henriette, Xavier et sa crinière blanche, bien en vue à côté de la conductrice. Elle eut un coup au cœur. Le rouquin l'avait-il vu aussi ? Oui !

— C'est lui ! rugit-il. Vite, retourne !

Le chauffeur vira sur les chapeaux de roues et accéléra. Tassée dans un coin de la banquette, la petite réceptionniste pleurnichait toujours. Maude lui tapota la main pour la rassurer.

La poursuite durait depuis quelques minutes quand, brusquement, sans l'indiquer, la Honda vira à droite dans le chemin de traverse qui menait à une ferme.

— Suis, suis ! ordonna le rouquin au chauffeur.

L'auto d'Henriette stoppa devant la grange. Elle et Xavier en descendirent tranquillement pendant que la grosse Buick venait freiner derrière dans un crissement de pneus strident. Les portières claquèrent, et les deux hommes bondirent hors du véhicule. « Ça y est, ils vont le reprendre », pensa Maude, effondrée. Mais soudain, coup de théâtre : trois gaillards, trois John Wayne en chapeau de cow-boy, surgirent de la grange, carabines pointées.

— La course est terminée, messieurs. Mains en l'air, cria Xavier. Attachez-les bien solidement en attendant l'arrivée de la police, dit-il aux garçons qui les tenaient en joue.

— Pas mal joué, hein ? fit Henriette, avec un sourire triomphant, à Maude qui accourait. Je suis assez fière de moi. Je te présente Alexis Vigeant, le frère de Lucienne, et ses deux fils, Stanislas et Robin. Ils se sont comportés comme de vrais héros de cinéma.

Les « héros », en train de ficeler leurs prisonniers, lui adressèrent un petit signe amical.

— Mais raconte donc ! gronda Maude, impatiente.

— Quand Xavier s'est rendu compte qu'on nous suivait, nous approchions de Sainte-Julie, et le ciel a voulu que je me rappelle la ferme Vigeant, où Lucienne m'avait déjà emmenée. Là, ma chère, remercie cette invention prodigieuse qu'est le téléphone sans fil. De la voiture, j'ai appelé Lucienne, qui a appelé son frère en lui transmettant mes instructions, et tout s'est passé comme prévu.

— C'est formidable ! Bravo, ma vieille ! Je suis fière de toi, moi aussi.

Xavier s'approcha et serra la jeune femme dans ses bras.

— J'ai eu très peur pour toi !

Après avoir enfermé les acolytes dans la grange, les trois Vigeant se montrèrent curieux d'en savoir davantage.

— Ceux-là ne sont que des instruments au service du grand patron, résuma Xavier. C'est lui qui veut m'interner de force dans sa fausse clinique. En me rendant fou à coups de drogues, il espérait arriver à me prendre tout l'argent dont il a besoin pour continuer ses affaires. C'est la deuxième fois que je lui échappe, grâce à vous et à ces deux dames. Je vous remercie de tout cœur.

Le jovial fermier convia alors le groupe sur la véranda pour déguster du cidre frais. Apercevant la jeune fille qui se tenait timidement à l'écart, Robin alla la prendre par la main.

— C'est quoi, ton nom ?

— Chloé, répondit-elle d'une toute petite voix.

Peu après, le fourgon cellulaire arriva, et les deux hommes y furent embarqués. L'un des agents informa Xavier qu'un inspecteur de la Sûreté, le sergent détective Laforge, attendait sa déposition.

Dès leur arrivée rue Parthenais, une secrétaire introduisit Xavier, Maude et Henriette dans le bureau du policier. Celui-ci, un type robuste dans la quarantaine, au regard pénétrant comme un rayon laser, les fit asseoir et écouta avec attention le récit complet des faits, depuis la venue du plaignant à Montréal jusqu'à l'arrestation des deux infirmiers. Il prenait des notes. Pendant que Xavier parlait de la potion, le sergent Laforge ne pouvait s'empêcher de fixer Maude avec autant d'admiration que d'étonnement, ses « petites cellules grises », comme disait le célèbre Poirot, s'agitant avec frénésie dans sa tête.

Ces personnes lui paraissaient tout à fait dignes de foi, mais l'histoire de ce philtre de jouvence passait mal. Maude Lambert n'avait pas ses papiers et, malgré les renseignements qu'elle fournissait concernant son identité et son âge véritable, appuyée par ses deux amis, il n'arrivait pas à croire qu'elle n'était pas une authentique jeune femme... et la femme la plus belle qu'il ait jamais vue ! Et l'autre, cette Dorothy Glenn, censée être passée de la moitié au quart de siècle, avec le même remède magique !... Le sergent avait le sentiment de nager en pleine science-fiction. Connaissant mieux que personne la nature humaine et ses multiples zones d'ombre, il croyait aisément à la fourberie d'une créature ambitieuse et vaine ou à la folie mégalomane d'un savant qui pensait avoir inventé un élixir de jeunesse éternelle ; c'était de son efficacité qu'il doutait fortement. Il était extrêmement curieux de connaître les résultats de l'analyse des résidus du flacon. De quoi pouvait donc être composée cette fameuse potion ? Il ferait parler les infirmiers coffrés. Quant à la belle-fille et à son magicien, les plaintes portées par Xavier Moreau de tentative d'extorsion, de séquestration et d'administration de drogues suffiraient à les faire appréhender en attendant des preuves d'autres délits.

Le détective se leva et donna congé à ses visiteurs, leur rappelant qu'ils devaient rester à la disposition de la police.

* * *

La vie chez Henriette, pendant qu'ils attendaient la convocation de la Sûreté, se déroula joyeuse et détendue. Parfois seuls, parfois avec leur hôtesse, Maude et Xavier faisaient de longues promenades au bord de la rivière, ou bien passaient des après-midi nonchalants au jardin à lire ou à jouer au Scrabble. Le soir, les deux amies se relayaient dans la préparation de dîners succulents, et Xavier gagna un bon kilo. Il s'en inquiétait auprès de ces dames, les suppliant de cuisiner de moins bons repas.

Privé de compagnie féminine depuis plusieurs années, Xavier semblait tout à fait heureux entre ces deux femmes qui le choyaient. Mais Henriette ne s'y trompait pas.

— Cet homme redevient amoureux de toi, Maude. Ça crève les yeux. Qu'en penses-tu ?

— Je m'en rends compte et, pour ne rien te cacher, j'en suis très heureuse. Mais notre situation est si étrange. Xavier m'a retrouvée telle qu'il m'a aimée, il y a cinquante ans. J'ai peur qu'il soit amoureux d'un souvenir. Moi, au contraire, j'aime l'homme qu'il est devenu, pas le beau tombeur de ma jeunesse. Que se passera-t-il lorsque j'aurai repris mon aspect normal ? Ça m'inquiète parce que, vois-tu, je souhaiterais qu'il se fixe ici et que nous finissions nos jours ensemble.

— Voilà qui est clair. Dis-le-lui, alors.

— J'hésite. Je préférerais que cela vienne de lui... après...

— As-tu songé que c'est peut-être justement cela qu'il attend pour se déclarer, par délicatesse, pour que tu ne croies pas qu'il soit retombé amoureux d'un souvenir, comme tu dis ?

La convocation du sergent Laforge leur parvint au bout de trois semaines. Dès qu'il les eut devant lui, il lança tout de go :

— Julien Rochette est en réalité âgé de plus de quatre-vingts ans.

— Quoi !

Ses deux interlocuteurs sursautèrent en même temps.

— Il est né le 13 novembre 1910, à Magog, en Estrie. C'est lui-même qui l'a déclaré, et nous avons vérifié. Il a juré également qu'il avait absorbé sa propre potion à plusieurs reprises...

Xavier se frappa le front.

— Mais évidemment ! Comment n'y avons-nous pas pensé ? Il se devait de l'expérimenter d'abord sur lui-même, autrement il n'aurait jamais pu convaincre qui que ce soit de la prendre, surtout pas Dorothy.

Le sergent était bien d'accord.

— L'analyse a montré qu'en plus d'éléments de nature végétale assez importants, le liquide contient des cellules humaines.

— Je me doutais qu'il y avait quelque chose d'illégal là-dessous ! s'exclama Xavier.

— Non, monsieur Moreau, ce n'est pas illégal de se servir de parties du corps à des fins de recherche. Ce qui est contre la loi, c'est le commerce d'organes, et ce n'est pas ce que Rochester faisait.

— Mais que se passait-il donc exactement dans cette soi-disant maison de repos ?

— Les infirmiers nous ont renseignés là-dessus. La maison était en réalité une clinique d'avortement et, à l'occasion, d'accouchements.

— Mais pourquoi ? demanda Maude. L'avortement n'est pas illégal, ici...

— Parce que Rochester refusait de se plier à quelque réglementation que ce soit. Il tenait à travailler en solitaire, sans avoir à rendre de comptes, obnubilé, semble-t-il, par la crainte qu'on lui vole ses secrets. Il voulait aussi pouvoir utiliser la matière comme il l'entendait.

— La matière ?

— Oui. Ce que les femmes avortées laissaient sur la table d'opération et qui constituait l'ingrédient indispensable à l'élaboration du philtre. Dès qu'Hernandez avait fini son boulot, cette matière première passait tout de suite au laboratoire, où attendait notre savant.

Le policier se versa un verre d'eau.

— Naturellement, tout se faisait dans l'anonymat le plus total. Aucun nom, aucune adresse. Les femmes retournaient chez elles, ni vu ni connu.

— Et Hernandez, d'où vient-il ?

— Du Brésil, monsieur Moreau. C'est là que Rochester et votre belle-fille l'ont rencontré quand ils cherchaient à se procurer les plantes rares dont ils avaient besoin. C'est un obstétricien dont la réputation n'était pas sans tache et qui ne demandait pas mieux que d'aller se faire voir ailleurs. Ils l'ont engagé. C'est par lui qu'ils ont eu accès à une sorte de carnet mondain des gens les plus riches du Brésil, susceptibles d'être intéressés par la Jouvencia. Une publicité circulait de bouche à oreille sur ses effets prodigieux et sans danger. La clientèle ne tarda pas à se former.

Maude et Xavier se regardaient, de plus en plus stupéfaits.

— Là, encore, reprit Laforge, aucune identification. Seulement des pseudonymes fantaisistes du genre : Bouton de rose ou Rayon de lune, consignés dans un cahier, avec une date et des chiffres. Exemple : Brise du matin – 2 septembre 1988 – 1-2-3 signifiait que celle qui portait ce surnom avait reçu ses trois doses. Évidemment, on payait cash : pas de reçu, pas de comptabilité.

Le policier fit une pause pour offrir du café à ses visiteurs. Il appuya sur le bouton de l'interphone.

— Madame Blondel, auriez-vous l'obligeance de nous apporter du café, s'il vous plaît ? Mais les cueilleurs de ces fameuses plantes poursuivit-il, ont vite compris qu'il y avait gros à gagner, et ils se sont mis à exiger des sommes de plus en plus importantes, d'autant plus que l'exportation de ces plantes est défendue au Brésil et qu'ils risquaient la prison s'ils étaient pris. Cela, joint à l'installation d'un nouveau laboratoire encore plus à la fine pointe, a contraint les associés à trouver rapidement de nouvelles sources de financement.

— C'est alors que ma belle-fille a pensé à moi, fit Xavier avec amertume.

Le sergent inclina la tête.

— Il y avait aussi, et surtout, que la réserve de Jouvencia baissait. Vingt-cinq fioles seulement ont été découvertes dans un congélateur dissimulé derrière une fausse cloison. On les a confisquées et entreposées en lieu sûr.

Un coup léger frappé à la porte et la secrétaire apparut portant le plateau du café. C'était une femme dans la cinquantaine, l'air sérieux et appliqué. Elle les salua discrètement et se retira.

Maude voulut savoir si on avait interrogé Rochette à son sujet. Pourquoi lui avait-il donné une dose de sa potion ? Le policier plongea son regard d'acier dans le sien.

— Il a assuré que vous étiez d'accord pour tenter l'expérience.

La jeune femme bondit.

— Mais c'est complètement faux !

— Il a soutenu qu'il vous avait parlé d'un tout nouveau médicament qui vous enlèverait à coup sûr vos douleurs d'arthrite, tout en vous donnant un regain d'énergie et un certain rajeunissement.

— Quel culot !

Maude était rouge d'indignation.

— Jamais il ne m'a parlé de ça. Seulement que ce nouveau remède me soulagerait mieux que tous les autres. Je lui ai fait confiance.

— Ne vous inquiétez pas, nous ne l'avons pas cru. En affirmant que vous étiez au courant, il a simplement cherché à se disculper d'un manque aussi grave à l'éthique de sa profession.

Le sergent Laforge se leva.

— Voilà, je ne vous retiens pas davantage. Le procès aura lieu dans quatre ou cinq mois. D'ici là, vous êtes libres d'aller où vous en avez envie. Je vous souhaite bonne chance.

— Dans quatre ou cinq mois, je serai redevenue une vieille dame, soupira Maude tristement, en prenant place dans la voiture avec Xavier.

— Ce sera dur ?

— Oh ! oui ! Je me suis si bien habituée à ma nouvelle jeunesse que j'en ai presque oublié mon âge véritable. C'est comme si je n'avais jamais été vieille. Il y a des moments où je panique.

— N'aie pas peur, Maude. Quoi qu'il t'arrive, je serai là. Si tu veux bien de moi, je serai là. Jadis, je t'ai perdue par égoïsme et vanité. Maintenant que je t'ai retrouvée, je ne te laisserai pas m'échapper. Tu es prévenue.

— C'est une menace ?

— Oui. Une menace de mariage, aussitôt que nous en aurons fini avec cette histoire.

— Et si j'acceptais, tu serais bien attrapé.

— Superbement attrapé ! murmura Xavier.

— Alors, ce sont nos fiançailles ?

— Ce sont nos fiançailles.

Ils étaient émus malgré le ton badin qu'ils avaient adopté. Maude se rapprocha.

— Je suppose que deux fiancés peuvent s'embrasser ?

— Je suppose.

Et doucement, presque timidement, Xavier posa ses lèvres sur les lèvres de Maude.

À leur mine rayonnante, Henriette vit tout de suite qu'il s'était passé quelque chose entre eux, et Xavier n'attendit pas pour l'annoncer.

— Ma chère Henriette, au début de l'automne, tu seras témoin à notre mariage.

— À la bonne heure! Vous avez ma bénédiction. Ça mérite bien une petite coupe de champagne, tout ça.

Maude voulut réintégrer ses quartiers. Elle rappela la concierge pour lui expliquer qu'elle prêtait son appartement à sa nièce pendant qu'elle-même se soignait en Gaspésie. Cela eut l'air de satisfaire la curiosité de madame Sirois. Mais, pour éviter de faire jaser dans les chaumières, il fut convenu que Xavier resterait chez Henriette.

— Tu as vraiment beaucoup de goût, observa Xavier en visitant l'appartement de sa fiancée. Et en plus, tu cuisines divinement bien. Je suis tout à fait rassuré pour l'avenir.

— Je passe le test?

— Vingt sur vingt, conclut Xavier en l'attirant dans ses bras.

Leur relation devenait plus intime, mais la jeune femme sentait qu'il s'interdisait encore de franchir certaines limites. Peut-être par une sorte de pudeur, leur apparente différence d'âge semblait l'intimider, lui, l'homme de soixante-dix ans, et cela attendrissait la future madame Moreau

* * *

Le front appuyé au hublot, Maude regardait les boules de coton doré défiler le long du fuselage. C'était son baptême de l'air. En route pour l'Europe, elle y croyait à peine. Dans le passé, avec son mari, ils avaient très peu voyagé. Gilbert n'aimait pas les déplacements. Il ne se sentait à l'aise et heureux que chez lui. Une fois, ils avaient traversé le Canada en train jusqu'aux Rocheuses. C'est tout. Autrement, pour les vacances, ils n'allaient jamais très loin de la maison. Et voilà qu'elle partait, en compagnie d'Henriette, pour un séjour de six semaines en France, en Angleterre et en Italie. Le sergent Laforge l'avait pourvue d'un passeport temporaire, qu'elle devait rendre à la S.Q. sitôt de retour et qui lui apprenait qu'elle était née à Montréal en 1960.

— J'ai donc officiellement trente ans… pour quelques semaines.

Xavier offrait le voyage aux deux amies et avait confié les arrangements à la meilleure agence qu'il connaissait. Seule ombre au tableau, il ne les rejoindrait qu'à la fin du périple, pour les six derniers jours. D'abord, il retournerait à Vancouver pour régler ses affaires, vendre sa maison et, surtout, rédiger un nouveau testament dans lequel il retirerait à sa belle-fille le mandat d'inaptitude et la procuration qu'il avait signés des années plus tôt. Maude le sentait pressé d'en finir avec cette malheureuse situation, pour tourner la page sur son existence dans l'Ouest et se consacrer enfin à la nouvelle vie qu'il voulait commencer avec elle. À l'aéroport, ils s'étaient dit au revoir avec une pointe de tristesse. Déjà, ils avaient hâte de se retrouver.

À côté d'elle, Henriette somnolait, vieille habituée des vols outre-Atlantique. Maude regardait dormir sa fidèle amie, son inséparable, sa siamoise comme on les surnommait quand elles étaient petites. À l'adolescence, avec le plus grand sérieux, elles s'étaient juré amitié éternelle et, depuis, le pacte n'avait jamais été rompu.

Maintenant, en plein ciel, Maude se laissait griser par la perspective de toutes les merveilleuses découvertes qui l'attendaient : les paysages, l'architecture, les œuvres d'art dans les musées, la gastronomie... Elle retrouvait l'exaltation des premiers jours de son incroyable aventure.

L'hôtesse circulait, offrant des boissons, et Henriette ouvrit les yeux. Maude la salua en riant.

— Tu as fait un bon petit roupillon.

— Tu aurais dû me réveiller. C'est trop tôt pour commencer ma nuit.

— En effet. Buvons du champagne et causons, parce que, moi, je n'ai pas sommeil du tout.

Maude leva son verre.

— À notre voyage !

— À notre voyage ! répéta « l'inséparable », amusée par la surexcitation de son amie.

Après la troisième petite bouteille, l'atmosphère était aux confidences.

— Dis-moi, qu'est-ce que tu aurais fait, toi, si « ça » t'était arrivé ?

— Me retrouver à trente ans ? Hum... Bien sûr, au niveau du look, ce serait fichtrement mieux qu'aujourd'hui, mais pourrais-je, maintenant, avoir une aussi belle jeunesse qu'autrefois ? Tout a tellement changé ! Moi, j'ai toujours fait ce que j'ai voulu ; j'ai réussi, j'ai aimé... Si j'avais à recommencer ma vie, je referais tout pareil.

— Ah, oui ? Même les bêtises ?

— Surtout les bêtises ! On apprend beaucoup de ses bêtises.

Elles riaient comme deux collégiennes en goguette.

— Mon problème à moi, dit Maude, dont l'élocution devenait laborieuse, c'est que je n'ai jamais fait de bêtises.

— Parce que tu es une fleur.

— Comment ?

— Laisse-moi t'expliquer, dit Henriette en vidant sa coupe. Tu es de la nature des fleurs et moi de celle des jardiniers. On ne peut pas être les deux à la fois. Le jardinier choisit, décide, mais il peut se tromper ; la fleur, non ! Elle se laisse admirer, cueillir, transplanter. Elle n'est responsable de rien et ne peut que s'étioler si elle est malheureuse. Tu n'as jamais été plus fleur que dans ton mariage avec Gilbert. Il t'aimait d'un amour qui frisait la dévotion, on le sait. Tu l'éblouissais. Il t'a cueillie, t'a mise dans un beau vase, a pris bien soin de toi et t'a contemplée avec adoration jusqu'à son dernier souffle. Tu étais sa fleur.

— Mais, je ne veux pas être une fleur ! protesta Maude, vexée.

— Et voilà, fit Henriette à qui le champagne donnait le verbe haut, tu refuses ta nature profonde : tu es une fleur qui se demanderait sans cesse si elle ne devrait pas être le jardinier.

Le regard vague, Maude sembla réfléchir une seconde, puis elle balaya l'air d'un geste de la main.

— Je ne comprends rien à ta parabole.

Sur ce, elle piqua du nez, sans autre commentaire.

* * *

Les deux femmes avaient préféré les petits hôtels de charme, et elles étaient confortablement installées dans un de ces établissements, non loin de la tour Eiffel, dans le 15e. Pendant cinq jours, elles arpentèrent Paris. Et ce n'était qu'un avant-goût, Xavier ayant décidé, quand il viendrait les rejoindre, de leur faire connaître le Paris qu'il aimait et qui n'était pas toujours celui des touristes.

Maude s'exclamait à chaque pas. Tout la soulevait d'admiration, mais la foule et le bruit l'étourdissaient. Enfant d'une petite ville paisible, elle s'habituait difficilement à la cohue. Elles rentraient, claquées, en fin d'après-midi, prenaient un peu de repos, se douchaient, puis s'habillaient pour le dîner. Dans les restaurants, aux terrasses, partout la beauté de Maude attirait des regards insistants et les tentatives des dragueurs. À deux reprises, elle fut même abordée par des types qui se disaient metteurs en scène et qui lui offraient de faire du cinéma. Elle se moquait gentiment et déclinait, bien entendu.

— Ça commence à être très agaçant, se plaignit un jour Henriette, en jouant les envieuses. Il n'y en a que pour toi ! Ah ! Si j'avais pu avaler ce fameux truc moi aussi, tu aurais eu de la compétition, ma petite.

— Prends patience, mes jours de gloire sont comptés, répondait Maude, qui accueillait les hommages avec un plaisir et une assurance qu'elle n'avait jamais affichés aux jours de sa vraie jeunesse.

Elle flirtait volontiers avec les jeunes gens qui lui plaisaient et les éconduisait sans états d'âme au moment d'aller dormir.

Henriette s'étonnait de cette désinvolture. À croire que Maude prenait sa revanche sur un lointain passé trop sage. « Quelle idée aussi de se marier à vingt-deux ans ! Elle n'a pas eu le temps de "jeunesser". »

Ce premier séjour à Paris terminé, débuta pour les deux voyageuses un long périple de dix jours, en train, vers la Bretagne et la Normandie, au cours duquel elles visitèrent de nombreuses villes et firent plusieurs excursions. Le Mont-Saint-Michel émut Maude aux larmes. Elle allait d'émerveillement en émerveillement : la mer, les paysages, les châteaux, la splendeur des cathédrales... Henriette, qui revoyait tout cela avec grand plaisir, était heureuse du bonheur de son amie.

— Je te le disais bien qu'il n'y avait pas que Ville Le Ber, dans le monde !

Une halte de quelques jours avait été prévue pour se remettre de cette passionnante mais épuisante randonnée. Elles choisirent Honfleur, dont

Maude tomba amoureuse sur-le-champ.

Vers le milieu de l'après-midi, rafraîchie, reposée, ayant troqué le jean pour une jolie robe blanche, Maude descendit seule à la terrasse du petit hôtel, Henriette désirant prolonger sa sieste. Elle demanda un café et s'assit sous un parasol. Ce n'était pas encore l'heure de l'apéritif et il n'y avait que deux ou trois tables d'occupées. À l'une d'elles, un homme lisait le journal en buvant un expresso. Il leva les yeux sur Maude au moment où le garçon lui apporta son café et ne la lâcha plus du regard. La jeune femme, qui détestait qu'on la dévisage, était sur le point de changer de chaise pour lui tourner le dos lorsqu'il se leva et vint vers elle. Fin trentaine, mince, taille moyenne, cheveux châtains, physionomie ouverte et sourire de gamin : rien à voir avec les petits dragueurs rencontrés jusqu'ici.

— Mademoiselle, pardonnez mon insistance à vous regarder avec autant d'intérêt que d'admiration, c'est que je suis peintre.

Il parlait d'une voix grave, avec un accent anglais. Mais l'excuse parut bien opportuniste à Maude, qui eut un sourire moqueur. Il sourit à son tour, l'air d'un gosse pris en faute, puis sortit une carte de son portefeuille et la lui présenta : *Cedric Nelson, painter.*

— Bon, ç'a l'air bien vrai, dit Maude en la lui rendant. Maintenant, je suppose que vous allez me proposer de faire mon portrait ?

— Comment avez-vous pu deviner ? s'exclama le peintre en mimant l'étonnement le plus complet.

Vaincue, la jeune femme se mit à rire. Il en profita.

— Puis-je avoir l'honneur de m'asseoir avec vous quelques instants, si je ne vous dérange pas ?

— Vous ne me dérangez pas, j'ai tout mon temps, je suis en vacances.

— Seule ?

La question avait jailli aussi précipitamment qu'un poisson saute sur l'appât. Re-sourire amusé de Maude.

— Non, avec une vieille tante. Vous la verrez tout à l'heure. Pour l'instant, elle se repose dans sa chambre.

— Je serai « quand même » heureux de faire sa connaissance, soupira Cedric.

— Et... je suis fiancée, ajouta Maude, le regard en coin.

— De là la vieille tante... Je comprends. Je suis moi-même un peu marié.

— Un peu ?

— Oui, en instance de divorce. À présent que nous savons tout l'un sur l'autre, accepterez-vous de poser pour moi ?

Décidément, l'artiste avait de la suite dans les idées ! Elle allégua la brièveté du séjour à Honfleur pour justifier un refus. Mais il assura qu'il n'avait besoin que de deux ou trois séances.

— En revanche, je devrai prendre des photos. Vous n'avez pas d'objections ?

— Je ne pense pas.

— Alors, c'est oui ?

— C'est oui.

— J'en suis très heureux, dit-il en plongeant ses yeux noisette dans ceux de Maude, qui fut fâchée de sentir une faible rougeur monter à son visage.

— Oh, voici ma tante.

La « tante » arrivait à point.

Toute fraîche dans un ensemble de lin blanc à fines rayures rouges, sa chevelure frisée poivre et sel en auréole autour de sa tête, Henriette n'avait certes rien de la vieille tante des romans anglais à laquelle le peintre aurait pu s'attendre. Elle se présenta avec sa rondeur habituelle, et il y eut un courant de sympathie immédiat. Maude la mit au courant pour le portrait.

— Mais quelle idée merveilleuse ! Aurez-vous assez de temps ?

— Ne vous inquiétez pas, j'ai ma technique. Mesdames, ajouta-t-il, se serait un immense plaisir pour moi de vous faire découvrir Honfleur et ses environs.

Il expliqua qu'il résidait à Londres mais avait ses quartiers d'été à Honfleur, où il aimait à peindre et où il trouvait une clientèle de choix. Les deux amies acceptèrent avec enthousiasme, et ils convinrent de se retrouver le lendemain à dix heures.

— En attendant, si cela vous intéresse, je peux vous faire visiter mon atelier, c'est à deux pas.

Le studio de Cedric était aménagé au rez-de-chaussée d'une ancienne maison de pêcheur. Il y avait deux pièces : celle où il peignait, avec sa grande fenêtre découpée dans la pente du toit, et une autre où étaient exposés ses tableaux. Au premier regard, on reconnaissait un talent exceptionnel. L'inspiration allait du portrait au paysage, en passant par la nature morte. Le coup de pinceau était vigoureux, le traitement du sujet extrêmement personnel et original. Henriette et Maude admiraient, vivement impressionnées. Le téléphone sonna et Cedric, en s'excusant, alla répondre dans la pièce à côté pendant qu'elles continuaient à faire le tour. Soudain, Maude resta figée de surprise : là, sur ce portrait, c'était Xavier ! Impossible d'en douter. La trentaine, peut-être un peu plus ; un regard qui fixait sérieusement l'objectif. Un regard que Maude ne lui avait jamais vu autrefois, dépourvu d'arrogance, habité par une sorte de questionnement profond. Elle pensa : son regard « retour de guerre ». Sa belle crinière blonde, bouclée (ses cheveux de fille), retombait un peu sur son front, soulignant le vert des yeux dans un visage hâlé. Les lèvres pleines esquissaient un sourire.

Maude était si troublée que la voix du peintre, derrière elle, la fit sursauter.

— C'est quelque chose, n'est-ce pas ? Brad Pitt peut aller se rhabiller ! Regardez ce nez droit, cette ligne parfaite de la mâchoire et du menton. Un modèle de beauté virile comme on en voit rarement. Je l'ai peint d'après une photo. C'était le premier mari de ma mère.

Les deux femmes se jetèrent un coup d'œil stupéfait.

— Elle m'a parlé de lui peu de temps avant de mourir. J'ignorais qu'elle avait été mariée une première fois et avait eu un petit garçon, mort très jeune. Je crois qu'elle ne s'en était jamais consolée.

Henriette et Maude n'en revenaient pas. Rencontrer si loin quelqu'un qui avait un lien avec Xavier ! Un lien indirect, il est vrai, mais bien réel. Quelque chose les retint cependant l'une et l'autre de révéler qu'elles le connaissaient, et encore plus, qu'il était le fiancé de Maude.

— Vous avez peint ce portrait d'une façon extraordinairement vivante, commenta Henriette, vous avez un immense talent.

— Je suis flatté et je vous remercie, répondit simplement Cedric.

Puis, il tourna vers Maude un regard qui en disait long.

— J'espère réussir le vôtre avec autant de bonheur. J'y mettrai tout l'art et toute l'intuition dont je suis capable. Puis, j'exposerai les deux portraits côte à côte, et personne ne pourra jamais admirer couple humain mieux assorti dans la beauté.

Cette dernière remarque empourpra les joues de la jeune femme, non à cause du compliment détourné, mais à cause de l'allusion au couple. Décidément, la situation devenait de plus en plus équivoque, et elle se sentait mal à l'aise comme si on l'avait prise en flagrant délit de mensonge.

Pour couper court, elle prétexta une faim de loup et, après avoir redit à Cedric toute leur admiration pour ses œuvres, les deux amies quittèrent l'atelier. Sur le pas de la porte, il leur rappela le rendez-vous du lendemain.

— Je serai devant votre hôtel à 10 heures.

Dehors, elles se communiquèrent leurs impressions. Henriette trouvait Cedric « craquant ».

— Ah ! Si j'avais quarante ans de moins... Et quel talent ! Si ton portrait devait être seulement à moitié réussi comme celui de Xavier, ce serait encore un chef-d'œuvre.

Mais Maude restait songeuse.

— Je ne suis pas certaine d'avoir pris une bonne décision en acceptant de poser.

— Pourquoi ?

— J'ai le sentiment de ne pas être honnête avec lui.

— Qu'est-ce que c'est que ça ? Tu voudrais lui raconter qu'en réalité tu es une dame de mon âge, rajeunie par un élixir magique, et que tu te prépares à épouser l'homme du portrait ? Pourquoi lui enlèverais-tu ses illusions ? Il gardera de toi le souvenir d'une très belle jeune femme qui a croisé sa route un jour et a disparu... comme une fée.

Maude sourit.

— Une fée ! Je ne te savais pas si romantique.

— Ah ! C'est le charme de Cedric ! fit Henriette en battant des cils comme un jouvencelle.

Son amie éclata de rire.

— Tu es folle !

En rentrant à l'hôtel après le dîner, la patronne les informa qu'elles avaient un message du Canada. C'était Xavier. Depuis leur départ de Paris, Maude lui téléphonait dès qu'elles arrivaient dans un nouveau lieu, pour le tenir au courant de leurs aventures, le remercier encore et encore pour ce merveilleux voyage et lui dire à quel point il lui manquait. Mais, cette fois, elle eut une hésitation : fallait-il lui parler de Cedric et du portrait ?

— Henriette, qu'en penses-tu ?

— Certainement. C'est une coïncidence tellement étonnante. Xavier n'en reviendra pas lui non plus.

Maude monta vite à sa chambre pour appeler Xavier et se sentit tout heureuse en entendant sa voix.

— Tu ne devineras jamais de qui nous avons fait la connaissance aujourd'hui :...

Elle lui raconta les détails de leur rencontre avec Cedric Nelson, et Xavier fut tout aussi renversé qu'elle et Henriette.

— Je savais que Lisa avait eu un second fils, mais j'ignorais ce qu'il était devenu. Dis à ce peintre que je suis très intéressé par les portraits. À n'importe quel prix.

— C'est impossible. Il ne sait pas que nous te connaissons. Je n'avais pas à informer un étranger des événements de ma vie.

— Tu as raison, ma chérie. Alors, je charge Henriette d'agir à ma place comme si c'était pour elle.

Il ajouta qu'il comptait les heures, tant il avait hâte de la revoir.

À dix heures précises, Maude et Henriette sortaient de l'hôtel. Cedric les attendait déjà, adossé à sa voiture, en tenue sport, chemise échancrée sur un torse de bronze, le sourire éclatant. Il s'empressa d'aller vers elles.

— Bonjour. Quel matin superbe, n'est-ce pas ? Vous avez bien dormi ?

— Moi, admirablement bien. Je suis en pleine forme, annonça Henriette avec entrain. Je vous préviens : vous serez fatigués avant moi.

— *Splendid !* fit Cedric en riant. Et vous, Maude ?

Il la dévorait des yeux sous ses lunettes de soleil. Elle était irrésistible, un grand chapeau de paille sur ses cheveux cuivrés, les épaules et les bras nus dans une robe à étroites bretelles couleur lilas.

— Je vais très bien aussi.

Elle lui souriait, heureuse, détendue.

— C'est si aimable à vous de nous emmener en balade.

— Tout le plaisir est pour moi, je vous assure.

Il ouvrit la portière et en parfait gentleman, offrit à Henriette la place à côté du chauffeur. Elle refusa : Maude, qui était moins grande, ne verrait pas aussi bien derrière, à cause des appuie-tête.

— Nous alternerons, alors, décida Maude.

Ils roulèrent le long de la côte sous un soleil radieux. Au large, des goélettes à la voilure immaculée se balançaient sur la mer étincelante. Maude montrait un ravissement qui enchantait Cedric.

La journée fut délicieuse. Ils visitèrent de jolis villages, des petites baies, traversèrent une campagne riche et verdoyante, des chemins ombrés d'arbres magnifiques. Ils déjeunèrent de poisson grillé, face à la mer. Rarement, depuis le début du voyage, Henriette avait-elle vu Maude aussi légère et rieuse. Cedric était gentil et plein d'humour. Il prit de nombreuses photos, à cause du portrait, disait-il, mais il y mettait un zèle remarquable.

Au retour, avant de les quitter, Cedric suggéra à Maude une première séance pour le lendemain, que la météo prévoyait pluvieux.

— Alors, 11 heures, ça vous irait ?

— Tout à fait.

— Et je vous en prie, remettez cette robe qui vous va si bien.

Au moment de se séparer, après les remerciements chaleureux des deux femmes, Cedric ignora la main tendue d'Henriette et l'embrassa cordialement sur les deux joues. Puis, il se tourna vers Maude.

— Je peux ?

— Bien sûr, répondit-elle après une fraction de seconde d'hésitation.

Il s'approcha et posa ses lèvres sur la joue de la jeune femme, mais si près de sa bouche qu'elle sentit un frisson lui parcourir l'échine. Elle espérait que l'obscurité avait caché cet émoi intempestif.

À Henriette qui désirait s'attarder à la terrasse de l'hôtel, où des clients finissaient de dîner, elle prétexta un petit mal de tête et monta à sa chambre. Là, devant la glace, elle vit sur son visage une expression de sensualité qu'elle ne se connaissait plus. Ses yeux brillaient d'un éclat mystérieux, le rose de ses joues était plus vif. Il fallait se l'avouer, le désir de Cedric, allumé au premier regard, la troublait. Pendant leur excursion de la journée, il avait saisi toutes les occasions de se rapprocher d'elle, de frôler sa main, son épaule. Elle sentait qu'il retenait une envie constante de la prendre dans ses bras. Son instinct l'avertissait d'un danger et, si danger il y avait, c'est qu'elle n'était pas insensible au charme du peintre.

« Oh ! Pourquoi Xavier est-il si loin ? » Elle se fit couler un bain et tenta de se raisonner, de minimiser l'effet qu'avait Cedric sur elle. En se couchant, elle avait presque réussi à se persuader que ce n'était rien, que, demain, elle n'y penserait plus.

Mais le lendemain, quand elle le vit s'avancer vers l'auberge, elle eut un coup au plexus qui l'inquiéta. Avec Henriette, elles finissaient leur petit déjeuner sur la terrasse, et le peintre revenait de sa promenade matinale au bord de la mer. Vêtu d'un gros pull marin, les mains dans les poches, les cheveux en broussaille, il vint les saluer, arborant son sourire de gamin, tout aussi ravageur que la veille. Henriette l'invita à prendre un café en leur compagnie.

— Ce serait avec plaisir, mais j'ai à faire au studio avant de recevoir mon modèle. Je vous attends toujours à 11 heures, Maude ?

— Mais oui.

— N'oubliez pas la robe mauve. À tout à l'heure.

Son attitude avait été parfaitement naturelle, presque détachée. Aucune trace des émotions d'hier. Elle s'était méprise, voilà tout. Les frôlements, les regards, le baiser si près des lèvres, tout semblait effacé, comme si elle avait rêvé. « Tant mieux », se dit-elle.

La pluie qui s'abattit tout à coup obligea les deux femmes à renoncer à la promenade qu'elles avaient prévue. Chacune regagna sa chambre avec une pile de *Paris Match*, à défaut de lectures plus substantielles.

En poussant la porte de l'atelier, Maude constata, avec un sourire, que Cedric avait fait le grand ménage.

— *Hello again*, fit-il simplement. Vous pouvez vous changer là, dans le coin, derrière le paravent.

Quand elle eut revêtu la robe lilas, elle s'approcha du chevalet, où le peintre installait son matériel, un peu mal à l'aise dans ce rôle improvisé de modèle. Cedric s'en aperçut et lui dit gentiment de se détendre.

— Aujourd'hui, je ne ferai que des esquisses. Je choisirai plus tard celle dont je me servirai pour le portrait.

Il approcha une sorte de récamier où il l'installa confortablement.

Pendant deux heures, il exécuta ébauche sur ébauche, la faisant changer de position, pour enfin se concentrer sur les traits du visage. De temps à autre, il s'informait. « Ça va, vous n'êtes pas trop fatiguée ? » Il lui apportait un verre d'eau.

Fascinée, Maude découvrait un autre homme. Ce n'était plus le compagnon drôle et empressé de la veille, mais un artiste totalement investi dans son travail. Elle-même ne semblait plus exister qu'en tant que modèle. Les brefs coups d'œil qu'il lançait au-dessus de son chevalet étaient froids et techniques.

Enfin, il déposa son fusain et s'essuya les mains.

— C'est assez pour aujourd'hui. Je crois qu'une autre séance suffira. Vous avez été parfaite, Maude, je vous remercie.

Elle voulut voir ce qui avait été fait, mais il se mit en écran devant sa toile.

— Non, jamais avant que ce ne soit terminé.

Elle s'inclina en souriant et passa derrière le paravent.

Quand elle revint, Cedric, debout devant la grande fenêtre, contemplait la rue ruisselante de pluie.

— Vous partez dans trois jours ? demanda-t-il sans se retourner.

— Oui.

— Revenez après-demain à la même heure, je crois que je pourrai terminer.

Il semblait lointain, et Maude ne savait trop que penser.

— Cedric, quelque chose ne va pas ?

Il se retourna, fit un pas vers elle et, sans répondre, ébaucha un geste comme pour toucher son visage.

— J'espère pouvoir rendre toute la finesse et le satiné de votre peau, murmura-t-il d'une voix changée.

Maude se sentit fondre à nouveau et se hâta de faire diversion.

— Henriette et moi aimerions vous inviter à dîner ce soir, où il vous plaira. Si c'est possible, évidemment.

L'expression du peintre s'éclaira.

— Rien ne me plairait davantage, Maude.

— Alors, 19 heures, ça vous conviendrait ?

— *Perfectly*.

Il y eut un flottement. Ils se regardaient. Allait-il l'embrasser comme la veille ? Mais il n'en fit rien.

— À ce soir, Cedric.

Il ouvrit la porte.

— À ce soir.

Rassurée par l'attitude strictement professionnelle du peintre pendant la séance de pose, Maude crut qu'elle pouvait en toute sérénité se réjouir à la perspective de la soirée qu'ils allaient passer ensemble.

Cedric les emmena dans un autre de ses coins favoris sur la côte, un pittoresque bistrot dont il connaissait le patron et où il était sûr qu'ils feraient un superbe dîner. Pendant le repas, son humour s'exerçait sur tout avec brio, stimulé par les éclats de rire des deux femmes.

En sortant de table, comme la marée était basse, Henriette proposa une promenade sur la plage et prit familièrement le bras de Cedric.

— J'ai besoin d'un bon soutien pour ne pas risquer de me fouler une cheville.

— Mais je vous en prie, ma chère Henriette. Et vous Maude ? *My other arm is feeling very lonely*.

Maude sourit et passa son bras sous le bras

gauche du peintre. Ils marchaient lentement. Le soleil se couchait dans une apothéose de couleurs. Cedric avait les yeux fixés sur Maude, hypnotisé par sa beauté qui, sous cette lumière d'or et de feu, brillait d'un éclat presque irréel : sa chevelure comme une flamme sombre, ses yeux comme des saphirs. Profitant de ce qu'Henriette s'éloignait pour ramasser quelques cailloux rares, il se pencha à son oreille.

— De toute ma vie je n'ai vu de femme aussi belle que vous, murmura-t-il.

— Cedric, vous exagérez. Ce n'est pas raisonnable, protesta Maude, gênée par le compliment, sa belle sécurité soudain ébranlée.

Cet homme avait le pouvoir de la mettre tout à l'envers, avec son regard intense, sa voix, sa chaleur qu'elle sentait contre son flanc, car il tenait toujours son bras serré sous le sien. Elle se disait que les gens qu'ils croisaient devaient les prendre pour des amoureux et elle pensa aussitôt à Xavier. Comme il lui tardait qu'il soit là pour que les choses se remettent en place, pour l'empêcher de glisser sur cette pente vertigineuse.

Au retour, Henriette fit part à Cedric de son désir de se porter acquéreur du portrait de Maude et « aussi de celui du superbe jeune homme ». Elle lança un œil à Maude, qui détourna la tête. En taisant encore une fois le fait qu'elles connaissaient le modèle, la jeune femme avait de plus en plus l'impression de tricher, de mentir au peintre, et elle en souffrait.

— *I'll never sell them, I'm afraid*, Henriette, répondit Cedric après un moment de silence.

— Dommage ! soupira-t-elle, mais je vous comprends. Permettez-moi quand même de vous laisser mon adresse au cas où vous changeriez d'idée un jour.

Cedric se contenta d'un petit sourire ambigu sans rien ajouter.

Ils arrivaient devant l'auberge. Le peintre les remercia de tout cœur pour l'une des plus belles soirées qu'il ait jamais passées à Honfleur.

Sitôt dans sa chambre, Maude décrocha le téléphone. Parler à Xavier, entendre sa voix, tout de suite. La force d'attraction de Cedric altérait l'image de son fiancé, qui semblait se fondre derrière un rideau de brume. Elle en éprouvait de l'inquiétude et une vague culpabilité. Dès qu'elle l'eut au bout du fil, elle se détendit. Xavier était l'homme qu'elle aimait, elle ne pouvait en douter. Comme il s'informait au sujet des portraits, elle lui annonça que, malheureusement, Cedric refusait de s'en départir.

— Ne t'inquiète pas, fit Xavier, je n'ai pas dit mon dernier mot. Ici, tout est en bonne voie. Il ne me reste plus que quelques transactions à régler, et je pourrai bientôt vous rejoindre. Tu me manques, ma chérie, ajouta-t-il tendrement.

— Tu me manques aussi. Je t'embrasse.

Maintenant, elle pouvait dormir en paix.

Le soleil s'infiltrait par les fentes des volets quand Maude s'éveilla. Elle courut les ouvrir et, du haut de sa fenêtre, contempla le petit port dans son activité quotidienne. L'air salin arrivait jusqu'à elle, et elle le respira à fond. Elle se sentait si merveilleusement bien. Comment croire que l'épée de Damoclès était toujours suspendue au-dessus de sa tête ? Elle avait tendance à l'oublier, à s'installer dans son récent bonheur. Aujourd'hui, 27 juillet, cela faisait deux mois et deux jours qu'elle avait avalé, sans le savoir, la miraculeuse potion de jouvence. Combien de semaines lui restait-il avant que réapparaissent les signes qu'elle redoutait tant ? Rien que d'y penser, un froid polaire la pénétrait. Retourner, d'un pas dansant, dans les traces de sa jeunesse ; renaître avec une joie, une sensualité accrues à tous les plaisirs qui s'offraient, aux splendeurs du monde, avait été si simple, si naturel ! Peut-être n'avait-elle jamais cessé d'être jeune, après tout ? Maude Lambert était-elle réellement âgée de soixante-dix ans et avait-elle réellement été l'épouse de Gilbert O'Neil pendant plus de quatre décennies ? Son passé lui semblait appartenir à quelqu'un d'autre ou à une autre vie. « Je divague. Je ferais mieux d'aller prendre l'air. » Ses pensées empruntaient un chemin qu'elle n'aimait pas.

Une fois prête, elle alla frapper à la porte de son amie.

— Tu viens, Henriette ?

De l'intérieur lui parvint une voix caverneuse.

— Déjeune sans moi, veux-tu ? Je suis en train d'expier mes abus d'hier. À plus tard.

Henriette sur le carreau, Cedric enfermé à travailler, il fallait se résigner à passer une journée en solitaire. Finalement, Maude n'en était pas mécontente. Elle musarderait au hasard, aussi longtemps qu'il lui plairait, comme elle aimait le faire. D'abord, le port pour admirer la mer et les voiliers, saluer les travailleurs qui l'appelaient « la belle rousse ». Partout on l'accueillait avec des sourires, des regards et des propos admiratifs, auxquels elle prenait un plaisir d'autant plus vif qu'elle en savait la cause, pour ainsi dire, minutée ! Profiter du moment présent, s'y plonger tout entière, en goûter toute la saveur, c'était cela que le bref retour de sa jeunesse lui apprenait et qu'elle se jurait de ne plus oublier, même après…

Curieusement, jamais elle n'avait éprouvé avec une telle intensité le bonheur d'être jeune, de se savoir belle, du temps de sa vraie jeunesse. Sous le regard amoureux d'un mari qui, de toute sa vie, n'avait jamais vu qu'elle, la jeunesse l'avait quittée tout doucement, à pas furtifs, sans qu'elle s'en rende vraiment compte. Sa beauté juvénile s'était transformée en une beauté mûre, presque à son insu. Puis, voilà : un bon matin, elle s'était réveillée tout étonnée d'être déjà vieille. Mais elle n'en avait pas senti d'amertume. Seulement un peu de nostalgie. Après tout, c'était normal, c'était cela, la vie.

Le lendemain, veille de leur départ, elle arriva au studio pour la seconde séance de pose. Ce fut un Cedric pâle, aux traits tirés, au regard fiévreux, qui l'accueillit. Il avait peint sans relâche depuis la veille et paraissait épuisé.

— Je suis dans une sorte d'état second, mais ça m'inspire. Asseyez-vous.

Maude avait revêtu la robe du portrait pour n'avoir pas à se changer. Elle s'installa sur le récamier, intimidée comme la première fois par l'expression impénétrable du peintre.

Il se remit au travail, sans un mot, dans une concentration extrême. Le temps passait. Enfin, il déposa ses pinceaux, s'essuya le front et les mains, recula de quelques pas en fixant la toile, et Maude le vit se détendre.

— Venez, dit-il dans un murmure.

Le cœur battant, elle s'approcha et demeura interdite, fascinée par sa propre image. La ressemblance était parfaite. C'était elle et, en même temps, « plus » qu'elle. Cedric semblait avoir débusqué, saisi quelque chose de profondément enfoui en son être qu'elle-même ne connaissait pas. Était-ce la maturité, la passion contenue du regard qui contrastaient avec la jeunesse et la sensualité des traits, avec les courbes douces des bras et des épaules, qui rendaient ce portrait si palpitant de vie, au point de donner l'impression que la jeune femme peinte allait soudain se détacher du cadre et venir vers vous ? Chavirée, Maude restait sans voix. Puis, dans un souffle :

— Oh ! Cedric. C'est trop beau !

La seconde d'après, elle était dans ses bras, étreinte avec passion, ployée sous un baiser de feu qui semblait ne pas devoir finir. Et elle rendait ce baiser, elle étreignait cet homme, ardente, emportée dans un vertige. Ses genoux fléchirent. Cedric la souleva comme une plume et la coucha sur le récamier, sans cesser de l'embrasser, de promener ses lèvres partout sur ses yeux, ses joues, son cou, ses épaules, enfouissant son visage entre ses seins. Éperdue, Maude ne savait plus où elle était, ni qui elle était. C'est lorsqu'elle sentit la main de Cedric se glisser sous sa robe et monter le long de sa cuisse que le déclic se produisit, que l'image lui traversa le cerveau avec la vitesse et la clarté aveuglante de l'éclair. Elle ouvrit les yeux, brusquement dégrisée.

C'était le lendemain de ses fiançailles avec Gilbert. Xavier, fou de jalousie, était venu la surprendre chez elle et, sous ses baisers qu'elle n'avait pas la force de repousser, elle avait failli lui céder. Quand la main experte du jeune homme avait tenté d'ouvrir sa robe, elle s'était subitement redressée : non elle n'avait pas le droit de trahir Gilbert, elle avait fait son choix.

Avec les mêmes mots, ceux de jadis à Xavier : « Non, je ne peux pas. Je n'ai pas le droit », elle écarta Cedric, doucement mais fermement, et se leva. Le peintre s'assit au bord du sofa, le visage dans les mains. Debout devant lui, elle caressait ses cheveux comme on console un enfant. Alors, il enlaça son corps et pressa sa tête contre son ventre.

— *I love you, my sweet, sweet Maude !*

Cette déclaration soudaine la bouleversa. La voix tremblante, elle voulut le réconforter.

— Cedric, je suis sûre que vous vous trompez. Ce n'est qu'une illusion. Vous verrez, dans peu de temps, vous aurez passé à autre chose. Je vous en prie, ne m'en veuillez pas.

Elle leva la tête et ses yeux rencontrèrent le

portrait de Xavier. Le regard grave et interrogateur qu'il semblait attacher sur elle lui perça le cœur.

— *Goodbye*, Cedric.

Et elle s'enfuit.

Dehors, elle courut presque, plus ébranlée qu'elle ne l'aurait cru, et se buta à Henriette qui se rendait à l'atelier voir le portrait fini.

— Mais tu en fais une tête ! Ça ne va pas ? Le portrait est mauvais ?

— Non, ce n'est pas ça. Je t'expliquerai.

Une fois dans sa chambre, elle s'effondra sur le lit en sanglotant. C'était le chaos dans son cœur. Comment pouvait-elle à la fois aimer Xavier et désirer Cedric si fort ? À cinquante ans de distance, elle se trouvait de nouveau déchirée entre deux amours. Autrefois, Gilbert contre Xavier ; à présent, Xavier contre Cedric. Par deux fois, elle avait résisté, in extremis, à l'un, à cause de la parole donnée à l'autre. Pourquoi ? Par honnêteté ? Fidélité ? Où était l'amour véritable ? Elle ne savait plus, encore secouée par la vague déferlante du désir dans les bras de Cedric. Le doute, la frustration, la culpabilité aussi dansaient une ronde infernale dans sa tête. Elle finit par s'endormir, au bout de ses larmes.

C'est Henriette qui la réveilla en frappant à sa porte.

— Oh là là ! C'est grave, fit-elle en voyant les yeux gonflés de Maude. Ma pauvre fille ! J'ai tout deviné, va. Ce qui est arrivé n'était pas difficile à prévoir. J'ai trouvé Cedric devant ton portrait – qui est sublime. Je lui ai dit que je t'avais croisée dans la rue et que tu avais l'air bouleversée. Il m'a répondu que c'était sa faute, qu'il t'avait fait une déclaration que tu ne pouvais accepter. J'ai essayé de le ramener au bon sens en lui faisant remarquer que le grand amour en quatre jours, ça me paraissait irréel. « Vous êtes amoureux de la beauté de Maude, elle vous inspire. Est-ce que je me trompe ? » Ce à quoi il a rétorqué : « Je ne fais pas de différence », sans rien ajouter. Alors, je l'ai laissé en l'embrassant comme un fils.

Ce qu'Henriette lui rapportait n'apaisait pas Maude. Au contraire, elle comprenait que Cedric souffrait, et cela lui était insupportable.

— Henriette, je ne sais plus où j'en suis. Tu ne sais pas tout : je suis passée à un cheveu de faire l'amour avec lui. Et sous le portrait de Xavier par-dessus le marché. Oh ! J'ai honte de moi ! Depuis le début, je sentais cela rôder entre nous, mais je me pensais assez forte pour ne pas tomber dans le piège. Il faut croire que je le désirais moi aussi, sans vraiment m'en rendre compte. Qu'est-ce que je vais faire, Henriette ?

— D'abord, cesser de te torturer. Crois-en ma vieille expérience : oui, on peut aimer un homme et en désirer un autre, momentanément. Si on en reste là, si on ne va pas jusqu'au bout, c'est l'amour qui a gagné.

— Tu crois ?

— J'en suis sûre. Cedric a réveillé tes sens, c'est tout. Allons, secoue-toi. Il faut préparer nos valises. Nous partons pour Calais aux aurores, demain.

En fin d'après-midi, la femme de chambre

apporta à Maude un bouquet de roses rouges. Sur la carte, une simple signature: *Cedric.*

* * *

Accoudées au bastingage, les deux amies regardaient s'éloigner les côtes de la Normandie avec des sentiments mitigés. Maude se sentait profondément triste. Cedric n'était pas venu leur dire adieu. Elle tenait contre ses lèvres une rose de la gerbe qu'il lui avait envoyée.

— Il était temps, hein? remarqua Henriette.

— Grand temps! Cette histoire de portrait, c'était de l'inconscience. J'aurais dû suivre mon instinct et refuser de poser pour lui.

— Ne te fais pas de reproches, j'y suis pour quelque chose. Sur le coup, ça m'a paru une idée intéressante et une belle surprise à faire à Xavier. Et puis, je l'avoue, je n'ai pas su résister au charme de Cedric. Pas de la même manière que toi, mais tout de même...

— À l'avenir, il vaudrait mieux pour ma santé que je n'oublie pas une seconde que l'horloge avance, que je suis une septuagénaire en sursis qui va bientôt épouser l'homme qu'elle aime et qui a son âge. Tout le reste n'est que du vent.

Maude voulait à tout prix faire taire ses doutes, étouffer la frustration de sa chair. Désirer Cedric, c'était déjà, pour elle, être malhonnête envers Xavier, et elle savait qu'elle ne se serait jamais pardonnée de l'avoir trompé. De toute sa vie, elle n'avait pu échapper aux exigences d'une conscience délicate, presque timorée, qui lui faisait toujours mesurer lucidement les conséquences de ses actes. Comme elle l'avait avoué à Henriette, elle n'avait jamais fait de folies... Sa seconde jeunesse semblait se calquer sur la première. Fallait-il le regretter ?

Quatre jours à Londres. Le temps frais, la pluie. Les musées, les tours de ville en car ouvert, la maison Dickens, la Tour de Londres, les parcs, les jardins et mille autres découvertes ne réussirent pas à rendre sa bonne humeur à Maude. Elle commençait à se sentir lasse du voyage. Il restait encore Rome et Florence avant que Xavier ne les rejoigne enfin à Paris, pour la dernière semaine. De temps à autre, sa montagne, sa rivière, le calme de son coin de pays lui manquaient.

* * *

Installée dans le petit salon de l'hôtel, Henriette feuilletait distraitement une revue italienne. Elle se faisait du souci pour Maude, surtout depuis Rome. L'hypersensibilité croissante qu'elle manifestait à la vue de tant de magnificence s'était encore accrue ces deux derniers jours, à Florence. Elle avait presque continuellement les larmes aux yeux et ne cessait de répéter : « Ah, c'est trop beau ! » Elle perdait l'appétit. Henriette se demandait s'il n'y avait pas encore du Cedric là-dessous, et son inquiétude augmentait. Le penchant de Maude aurait-il été plus sérieux qu'elle ne l'avait cru ? « La pauvre enfant, se disait-elle, tant d'événements sont venus la bouleverser depuis deux mois.

D'abord, ce rajeunissement prodigieux et inimaginable, puis le retour de Xavier, leurs fiançailles, les émotions d'un premier voyage en Europe et le beau Cedric pour finir. Sans oublier, bien sûr, la peur face à l'échéance qui approche. Il y aurait de quoi ébranler une constitution plus forte que la sienne. »

Henriette referma le magazine et allait s'extirper du confortable fauteuil lorsqu'elle constata que tous les regards autour d'elle étaient tournés vers la porte du salon. Dans l'embrasure se tenait un homme élégant, à la prestance imposante et à l'abondante chevelure blanc de neige qui examinait la pièce, semblant chercher quelqu'un. Elle faillit pousser un cri et se précipita à sa rencontre.

— Xavier ! Mais quelle merveilleuse surprise ! Tu es en avance. Que je suis contente !

Il embrassa sa vieille amie.

— Tout s'est réglé plus vite que prévu, et me voici. Je ne pouvais plus attendre. Comment allez-vous toutes les deux ? Où est Maude ?

— Elle se repose. J'aime mieux te prévenir : elle est très nerveuse depuis quelques jours. C'est providentiel que tu arrives plus tôt. Je suis sûre que ça va tout arranger.

Ils frappèrent à la porte de la chambre de Maude. « Entrez », fit une voix dolente. Henriette ouvrit. Son amie était assise devant la fenêtre, un livre sur les genoux, le regard dans le vide.

— J'ai une bonne surprise pour toi !

Elle s'effaça pour laisser entrer Xavier.

— Ma chérie ! fit-il, les bras tendus.

Maude le fixa comme si elle n'y croyait pas, puis elle se jeta contre sa poitrine en éclatant en sanglots convulsifs. Trop, c'était trop ! Elle n'en pouvait plus. Trop de splendeur, d'inoubliable beauté ; trop de combat intérieur, de doutes, de remords... Et soudain, « il » était là, enfin, pour la rassurer, l'envelopper, pour remettre les choses en place. Elle riait au milieu de ses pleurs, en proie à une véritable crise de nerfs.

Sur un signe de Xavier, Henriette décrocha le téléphone et pria la réception d'envoyer un médecin au plus vite. Dans les bras de son fiancé, Maude ne se calmait pas. Il lui chuchotait des mots tendres pour l'apaiser, caressait ses cheveux. Le médecin arriva. Mis au courant des circonstances, il déclara qu'il s'agissait sans doute d'un grand stress, ou peut-être d'une manifestation du syndrome de Stendhal, ce qui arrivait souvent à Florence. Des êtres particulièrement sensibles se trouvaient perturbés en faisant la connaissance des innombrables chefs-d'œuvre qui remplissaient la ville.

— Je vais lui faire une piqûre. Elle dormira quelques heures et ensuite tout ira bien.

Henriette et Xavier restèrent au chevet de Maude jusqu'à ce qu'elle ait sombré dans un profond sommeil.

Il faisait nuit lorsqu'elle ouvrit les yeux. Elle alluma et regarda sa montre : 23 h 10. Sa tête retomba sur l'oreiller. Lentement, le souvenir de sa crise nerveuse émergeait du brouillard en même temps qu'une intense bouffée de joie lui faisait battre le cœur : Xavier était là ! Lui et sa force tranquille, son assurance, son amour surtout. Mais comme il devait s'inquiéter ! Il fallait qu'elle le voie. Malgré l'heure tardive, elle appela la réception pour connaître le numéro de sa chambre. Après, elle se doucha, brossa ses cheveux, vaporisa sur son corps une brume d'eau de toilette, enfila un peignoir et sortit.

La chambre de Xavier était la troisième à gauche. De la lumière filtrait sous la porte. Elle frappa discrètement. Xavier vint ouvrir, en pyjama de soie vert jade, les lunettes sur le bout du nez et un livre à la main. Lorsqu'il vit Maude, son visage s'éclaira.

— Entre, ma chérie.

Il déposa livre et lunettes sur la commode et l'attira dans ses bras.

— Ça va mieux maintenant ?

Sans répondre, elle se dégagea doucement.

— Xavier, je ne veux pas attendre, dit-elle d'une voix qui tremblait un peu. Je veux dormir avec toi. Je veux que tu me prennes, que tu me voies tout entière pendant que je suis encore belle. Je t'aime.

Elle laissa tomber son peignoir, et il put contempler ce corps de liane, aux formes douces, à la peau dorée, ce corps qu'il avait tant désiré jadis et désirait encore avec passion, mais une passion épurée de l'avidité et de la fougue égoïste de ses vingt ans. Il la pressa contre lui, la gorge serrée d'émotion, accueillant le désir de la jeune femme comme un cadeau somptueux offert à l'homme de soixante-dix ans qu'il était. Il la souleva et la déposa sur le lit avec une infinie tendresse. Puis, il lui fit l'amour, lentement, intensément, divinement.

Le lendemain, très tôt, Maude s'éveilla, lovée contre le flanc de Xavier. Elle n'en croyait pas son bonheur, encore éblouie par ce qu'elle avait connu dans ses bras. Envolés les doutes, dissipés comme les fumées du matin sur la rivière. Elle avait l'impression qu'au fond, elle n'avait jamais cessé d'aimer Xavier. D'un amour tenu en veilleuse pendant quarante ans sous un bonheur domestique doux et moelleux, au sein duquel elle s'était surtout laissée aimer. Elle ne reniait rien. La vie avait accompli pour chacun d'eux ce qu'elle avait à accomplir et, aujourd'hui, elle les ramenait l'un à l'autre.

Comme le premier soir au petit hôtel de Montréal, Maude regardait dormir Xavier. Son visage et son corps portaient si peu les marques de l'âge qu'il fallait un réel effort pour se rappeler qu'il avait soixante-dix ans. Elle eut envie de caresser cette hanche et cette cuisse dure et musclée, mais elle ne voulait pas risquer de le réveiller : il n'était que six heures. Elle se leva sans bruit, remit son peignoir et, après avoir déposé un mot d'amour sur l'oreiller, retourna dans sa chambre.

Première rendue à la table du petit déjeuner, Henriette attendait ses amis. En les voyant arriver, main dans la main, Maude resplendissante, Xavier rajeuni de dix ans, elle se dit : « Bon. Ça y est enfin ! » et les accueillit avec un sourire malicieux.

— Bonjour les tourtereaux. Si ça continue, vous allez me rendre jalouse. J'avais fait une croix sur l'amour, moi ! Mais de vous voir comme ça, tous les deux… Xavier, tu ne connaîtrais pas un beau septuagénaire dans ton genre qui pourrait s'intéresser à une ancienne championne de natation ?

— Je vais y réfléchir sérieusement, ma chère Henriette. Quelquefois, il suffit d'ouvrir les yeux.

Avec Xavier, le reste du séjour à Florence, qu'il connaissait très bien, fut un enchantement pour les deux femmes. Un soir, après un dîner princier, la question du portrait de Maude revint sur le tapis.

— Si nous repassions brièvement par Honfleur, avant de rentrer à Paris ? suggéra Xavier. Je pourrais essayer de convaincre l'artiste de me vendre les portraits. Qu'en dites-vous ?

Sa proposition ne trouvant pas d'écho, il répéta : « Qu'en dites-vous, mesdames » ?

Au lieu de répondre, Maude se tourna vers Henriette.

— Tu ne m'en voudrais pas d'aller faire un tour avec Xavier pendant que tu bois ton café ?

— Bien sûr que non. Je vous attends ici, répondit Henriette, qui avait saisi.

Maude prit le bras de son fiancé, et ils traversèrent la terrasse. Une fois dans la rue, elle hésita, tout de même un peu inquiète de sa réaction. Mais elle ne voulait laisser aucune zone d'ombre entre eux.

— Xavier, je ne crois pas que ce soit une bonne idée de retourner à Honfleur. Tu vois, Cedric Nelson s'est imaginé être tombé amoureux de moi… et cela m'a troublée. Pendant un moment, je ne savais plus où j'en étais. Tu ne m'en veux pas ?

— Ma chérie ! Ç'aurait été bien naïf de ma part de penser que ta beauté, ton charme n'allumeraient pas quelques flammes au passage. Mais je te connais. Je me souviens d'un soir, il y a longtemps, où, comme le jeune coq que j'étais, j'ai malhonnêtement essayé de te séduire alors que tu venais de te fiancer à Gilbert, qui était mon ami, par surcroît. Tu m'as résisté et tu m'as mis à la porte. Je suppose que ça s'est passé un peu de la même façon avec le peintre ?

Maude inclina la tête. Xavier serra sa main très fort.

— Alors, j'ai gagné. Comme Gilbert autrefois. Je t'aime et je suis immensément heureux.

Et il l'embrassa longuement, sans se soucier des passants.

En rentrant à l'hôtel après une dernière journée de visites dans Florence, Maude et Henriette, épuisées, se laissèrent tomber dans les fauteuils du hall pendant que Xavier allait vérifier à la réception s'il avait reçu le message qu'il attendait de Vancouver. À côté de lui, au comptoir, un homme remplissait sa fiche. En entendant le nom de Xavier Moreau, il leva brusquement la tête et dévisagea Xavier, qui se retourna, un point d'interrogation dans le regard.

— Excusez-moi, monsieur, mais je crois savoir qui vous êtes. Vous avez été le premier mari de ma mère, Lisa Lawrence. Je m'appelle Cedric Nelson et je suis portraitiste à mes heures.

Xavier, surpris, jeta un rapide coup d'œil vers le hall.

— J'ai peint votre portrait d'après une photo que ma mère possédait. Je vous ai tout de suite reconnu, vous avez un visage qu'un peintre n'oublie pas.

Xavier était partagé entre un intérêt immédiat pour cet homme et l'embarras de ce qui, fatalement, allait suivre.

— Je suis heureux de faire votre connaissance, dit-il avec chaleur en lui serrant la main.

Puis, il plongea.

— Ma fiancée m'a parlé avec beaucoup d'éloges de ce portrait, ainsi que de celui que vous avez fait d'elle. Quelle extraordinaire coïncidence de vous trouver ici ! Maude et Henriette seront contentes de vous voir. Elles m'attendent là, dans le hall. Je vais les chercher.

Il avait fait mine de ne pas remarquer à quel point l'expression du peintre se figeait, comme il avait pâli à mesure que les informations lui étaient assénées avec une apparente innocence.

Xavier rejoignit les deux femmes et leur annonça que Cedric était à la réception. Elles en furent estomaquées.

— C'est vrai, dit Henriette, que nous lui avions parlé de notre séjour ici et, ma foi, je crois avoir moi-même mentionné le nom de l'hôtel où nous allions descendre.

— Venez, dit Xavier.

Ayant une idée de ce que Cedric devait ressentir, Maude était mal à l'aise. Henriette sauva la situation en s'avançant rapidement vers lui pour l'embrasser :

— Mon cher Cedric, comment allez-vous ?

— Bien, Henriette, répondit le peintre en essayant de garder bonne contenance.

À son tour, Maude lui tendit la main.

— Bonjour, Cedric. Vous avez fait bon voyage ?

— Oui, Maude.

Conscient de la délicatesse de la situation, Xavier coupa court.

— Cher monsieur Nelson, c'est malheureusement notre dernière soirée à Florence, mais si vous êtes libre pour le dîner, je vous invite avec grand plaisir à vous joindre à nous.

— Merci. Peut-être, bredouilla Cedric. Je dois d'abord appeler quelqu'un.

— Alors nous nous verrons à la salle à manger à 19 h 30, j'espère.

Et Xavier entraîna les deux femmes.

Dans la chambre d'Henriette, ils discutaient tous les trois de cette arrivée à l'improviste :

— Je crois que ma présence a court-circuité son ultime tentative pour conquérir Maude, remarqua Xavier.

— Le pauvre garçon ! Il faut croire qu'il ne s'était pas résigné, après Honfleur, dit Henriette.

Maude se reprochait son silence au sujet de Xavier.

— Si je lui avais révélé tout de suite que le beau jeune homme du portrait était à présent mon fiancé, nous n'en serions pas là.

— Pas si sûr, observa le fiancé. Il aurait fait le compte des années et vite pensé que j'étais trop vieux pour toi. Ses chances lui auraient paru meilleures, et je le comprends.

Il regardait Maude avec tant d'amour qu'elle se jeta dans ses bras.

— Cedric n'a aucune chance ! s'écria-t-elle. J'ai de la peine pour lui, c'est tout. Mais s'il savait ce que tu sais, il fuirait bien loin d'ici. Et toi ? Es-tu certain que tu m'aimeras autant quand je serai redevenue vieille ?

— Je ne suis pas vieux, moi ? Nous avons le même âge, ne l'oublie pas. Lorsque j'ai cherché à te revoir, il y a trois mois, crois-tu donc que je m'attendais à retrouver une jeune femme ? Ma chérie, de toute manière, j'aurais recommencé à t'aimer.

Ils s'embrassèrent.

— Hum, hum... toussota Henriette. Je sortirais bien pour vous permettre de... mais je suis dans ma chambre.

Maude éclata de rire.

— Puisque nous avons ta permission... à plus tard ! fit-elle gaiement en prenant le bras de Xavier.

— À plus tard... dévergondée !

La chambre de Maude baignait dans une belle lumière rousse, à l'image de son cœur rempli d'allégresse. Xavier la fit asseoir sur le bord du lit et sortit de sa poche un petit écrin de velours bleu.

— Je comptais te l'offrir ce soir, au cours de notre dernier dîner à Florence, mais avec l'invité que nous aurons peut-être...

Maude ouvrit l'écrin et sa bouche s'arrondit en un « oh ! » d'émerveillement : sur un anneau de platine, brillait un saphir de la plus belle eau.

— Xavier, c'est magnifique !

Ému, il glissa la bague à son doigt.

— Veux-tu toujours être ma femme ?

— Oui, oui, mille fois oui, fit Maude impétueusement en s'accrochant à son cou.

Et ils chavirèrent au creux du lit, comme au creux de la mer, emportés par les vagues d'un désir fou.

Cedric s'avançait, souriant, la mine recomposée, vers la table où Henriette était assise.

— *Hello, my dear friend.*

— Bonsoir, Cedric. Mon Dieu, comme vous êtes beau ! Je n'aurais pas porté à terre un seul instant si j'avais eu un fils comme vous. Asseyez-vous. Maude et Xavier ne vont pas tarder. Au moment de descendre, il a reçu le coup de téléphone qu'il attendait.

Elle fit une pause et le regarda avec affection.

— Je suis contente que vous ayez pu vous libérer.

Cedric expliqua qu'il avait remis au lendemain la rencontre avec l'agent italien qui l'aiderait à préparer sa première exposition hors de la France et de l'Angleterre. Elle aurait lieu à Rome dans un mois.

— Je m'en réjouis pour vous et je suis certaine que ce sera un immense succès.

Elle hésita une seconde, puis lui demanda s'il allait montrer les extraordinaires portraits de Maude et de Xavier. Le peintre parut songeur.

— Je ne sais pas encore... Henriette, commença-t-il timidement, à Honfleur quand vous êtes venues la première fois à mon studio, pourquoi ne m'avez-vous pas dit que vous connaissiez Xavier ?

— Mon cher Cedric, ne nous en veuillez pas, je vous en prie. Maude est une personne très secrète. Elle n'a pas cru devoir mettre quelqu'un qu'elle ne connaissait pas au courant des circonstances de sa vie.

Cedric se récria.

— *But these were no ordinary circumstances: my mother's first husband!*

— Si vous aviez su, cela vous aurait-il empêché de tomber amoureux d'elle ?

Le peintre baissa la tête sans répondre.

— Vous voyez. Allons, oubliez cela. Les voici.

Maude et Xavier entraient dans la salle à manger, accompagnés de murmures admiratifs. Leur couple ne passait jamais inaperçu, tous deux élégants, racés et d'une beauté frappante. Maude resplendissait dans une robe longue, à plis souples, du même bleu que le saphir qu'elle portait au doigt. Sa coiffure relevée soulignait la grâce de son cou et de ses épaules nues, dont la carnation ivoirine luisait doucement comme une eau étale sous un rayon de lune. Elle tenait le bras de Xavier, et leur bonheur sautait aux yeux.

Henriette intercepta le regard éloquent que Cedric attachait sur Maude et elle eut pitié de lui. Mais il faisait bonne figure.

— Vous êtes en beauté, Maude.

— Merci, Cedric. Nous sommes vraiment contents que vous soyez là.

Xavier lui serra cordialement la main.

— J'aurais été déçu de repartir au Québec sans vous avoir rencontré. Ces dames m'ont tant fait éloge de votre talent que j'ai très envie de voir vos œuvres. Surtout ces fameux portraits, ajouta-t-il avec un sourire.

— Cedric prépare une exposition à Rome, le mois prochain, se hâta d'annoncer Henriette.

— Vraiment ! s'exclama Xavier, aussitôt intéressé.

Et la conversation se poursuivit sur la peinture, Xavier confiant à Cedric qu'il avait été élève aux Beaux-Arts dans sa jeunesse et avait rêvé d'éblouir le monde avec ses chefs-d'œuvre.

— Au lieu de ça, il a fait la guerre, commenta Henriette sur un ton qui signifiait : quel dommage !

— Vous avez rencontré ma mère en 1944, je crois ?

— Oui.

— Elle m'a dit que vous aviez été un héros sur les champs de bataille, deux fois cité pour bravoure exceptionnelle.

Les deux femmes regardèrent Xavier, impressionnées.

— Nous ne savions pas cela.

Comme chaque fois qu'il était question de la guerre, Xavier se rembrunit.

— Laissons ce sujet. Votre mère aussi s'est montrée très courageuse.

Cedric semblait heureux d'entendre parler de sa mère et réclamait des détails, des anecdotes. Entre l'évocation de souvenirs, les commentaires pleins de verve sur la politique, l'art en général et la peinture en particulier, Henriette et Maude assistèrent, médusées, à ce revirement imprévisible : Xavier faisant la conquête du peintre. Rares étaient ceux qui résistaient au magnétisme de Xavier. Chaleureux, sûr de lui, fier et généreux, c'était un être solaire. Il rayonnait et attirait naturellement les gens qui gravitaient autour de lui, et semblait provoquer chez eux le désir de mériter son estime. Cependant, et ce n'était pas le moindre de ses charmes, il n'avait pas l'air de s'en rendre compte.

Un peu avant 23 heures, Henriette tira sa révérence. Les hommes se levèrent et, encore une fois, elle serra affectueusement Cedric dans ses bras.

— Je tiens à avoir des nouvelles de votre exposition. Vous avez mes coordonnées, j'ai les vôtres. Nous nous reparlerons. Je vous dis *Cambronne*.

— Au revoir, *my dear* Henriette.

Après le départ de leur amie, Xavier proposa une liqueur au bar.

— Mais avant, je dois rappeler Vancouver.

Maude comprit qu'il s'éclipsait discrètement pour leur permettre un entretien sans témoin. Cedric parla le premier.

— Xavier est un homme remarquable et je m'incline. J'avoue cependant que… enfin, je suis étonné par…

— La différence d'âge ? acheva la jeune femme. Parfois, le temps n'est qu'une illusion, Cedric, quand deux êtres sont faits l'un pour l'autre. Je pourrais dire que Xavier et moi nous sommes aimés dans une vie antérieure et qu'enfin nous nous trouvons réunis. Nos liens sont extrêmement profonds, et c'est à cause de ces liens que j'ai pu résister à l'attirance certaine que j'ai eue pour vous.

Le regard du peintre s'éclaira d'une lueur d'espoir.

— Mais j'aime Xavier et ma vie est avec lui.

Après un moment de silence, Cedric se leva.

— Je ne m'imposerai pas davantage. Merci de votre franchise, Maude. Ce fut un grand bonheur de vous connaître et de peindre votre portrait. Je vous souhaite un agréable séjour à Paris et un bon retour chez vous.

Il prit sa main, qu'il porta longuement à ses lèvres, et quitta le bar. À la porte, il croisa Xavier. Maude les vit échanger quelques mots, se serrer la main, puis le peintre disparut dans l'ascenseur.

— Il avait l'air bien triste, dit Xavier en rejoignant Maude.

— Je sais. Mais il s'en remettra. Il a son art, et la célébrité l'attend. À trente-huit ans, sa vie n'est pas finie, il aimera d'autres femmes.

— Pas de regret ?

— Oh, comment peux-tu seulement douter ! C'est toi que j'aime, et chaque jour davantage.

Xavier posa ses longues mains sur les épaules nues de Maude et l'attira à lui pour un baiser où il y avait toute la ferveur de son amour, de son désir. Pendant un long moment, il la garda serrée contre sa poitrine, si ému qu'il tremblait un peu. Était-ce possible d'aimer à ce point ? Comment avait-il pu vivre tant d'années sans elle ? Il avait sincèrement été dévoué à ses deux épouses, mais peut-être que rien ne remplace jamais vraiment l'éblouissement du premier amour. L'image de Maude était restée en filigrane dans toute la trame de son existence. Mais il ne s'était pas donné le droit de relancer celle qui en avait épousé un autre. Il n'était pas libre, lui non plus. Jusqu'à ces dernières années.

Et voilà qu'un détour inouï du destin la lui rendait telle qu'il l'avait tant désirée autrefois. S'il tenait entre ses bras ce corps enivrant avec un bonheur qui le faisait frémir, il savait que son amour allait bien au-delà du corps. Il ne redoutait pas pour lui les transformations physiques qui attendaient Maude. Elle redeviendrait la femme mûre et toujours belle qu'il s'attendait à rencontrer trois mois plus tôt et il se disait même que leur complicité, leur intimité d'aujourd'hui en seraient encore plus profondes.

Desserrant son étreinte, Xavier prit Maude par la main, et ils montèrent à sa chambre, où ils s'aimèrent avec une passion dont l'intensité les laissa divinement épuisés.

* * *

À arpenter Paris depuis des heures, les deux amies commençaient à sentir la fatigue, alors que Xavier débordait d'énergie.

— Tu n'as pas cinq semaines de pérégrinations dans le corps, toi. Laisse-nous souffler un peu, se plaignait Henriette.

Le voyage prendrait fin trois jours plus tard, et Xavier aurait aimé leur faire connaître tous ses coins préférés.

— Vous avez raison, mesdames, j'abuse. Gardons-en pour un prochain voyage.

Maude avait maintenant hâte de rentrer chez elle. Hâte, surtout, de s'installer avec Xavier. À leur retour, ils habiteraient dans son appartement, en attendant de trouver la maison de leurs rêves, au bord de la rivière.

* * *

Cela débuta par une extrême lassitude. L'avant-veille du départ, Maude n'arriva pas à se sortir du lit. Tout d'abord, ils crurent à un excès de fatigue due au long voyage. Mais plus la journée avançait, plus elle se sentait faible, au point d'avoir peine à garder les yeux ouverts. Sa voix devenait presque inaudible. De temps à autre, elle parvenait à articuler deux mots : je coule. Au soir, elle sombra dans l'inconscience. Fou d'inquiétude, Xavier fit appeler un médecin, qui l'examina sans pouvoir se prononcer. Elle n'avait pas de fièvre, tous ses organes semblaient en bon état et, pourtant, elle dépérissait. De toute urgence, il fallait l'hospitaliser.

Xavier et Henriette, bouleversés, avaient tous les deux la même appréhension : Maude était-elle véritablement atteinte d'une grave maladie ou bien était-ce le processus de re-vieillissement qui commençait ? Dans l'ignorance totale de ce qui pouvait arriver, ils avaient du mal à ne pas céder à l'affolement.

Par précaution, on installa Maude dans une chambre isolée. On la mit sous perfusion et il y eut plusieurs examens. Elle dormait toujours, son beau visage aussi blanc que les draps, sa chevelure somptueuse épandue sur l'oreiller. Xavier tenait sa main et lui parlait tout bas.

— Mon amour, je t'en supplie, il faut tenir bon. Ne te laisse pas couler. Je t'aime.

Il avait réussi à convaincre Henriette de retourner à l'hôtel prendre un peu de repos, mais, pour lui, il n'était pas question de quitter le chevet de sa fiancée. L'infirmière de nuit, qui venait fréquemment prendre le pouls de Maude, le voyait, toujours vigilant, assis dans le fauteuil qu'il avait rapproché du lit et tenant la main de la malade.

Vers six heures, lorsqu'elle revint une dernière fois avant de quitter son service, elle le trouva endormi, la tête contre le matelas, un bras posé sur le corps de la jeune femme. Elle le réveilla doucement.

— Monsieur Moreau, il faut aller vous reposer. Aujourd'hui, vous ne pourrez pas la voir. Il y aura d'autres examens, d'autres tests. Nous vous tiendrons au courant. À cette heure, on ne note aucun changement, son pouls est faible mais stable.

Xavier se résigna. Il se pencha et embrassa sa bien-aimée.

— Je reviens bientôt, ma chérie.

Quatre jours passèrent sans apporter d'amélioration. Maude demeurait dans un état léthargique. On avait exploré toutes les avenues sans découvrir un seul indice de quelque maladie que ce soit, et les médecins étaient de plus en plus perplexes. Xavier et Henriette se relayaient auprès d'elle. Ce fut Henriette qui, au matin du cinquième jour, constata les premiers signes de vieillissement : des fils d'argent striaient le roux sombre de ses cheveux, de fines pattes d'oie se dessinaient au coin de ses yeux et ses belles mains avaient perdu leur aspect lisse et nacré. Abandonnées sur le drap, elles ressemblaient à des feuilles d'automne, un peu fanées, un peu jaunies. « Pauvre Maude ! se dit-elle. Dans quel état va-t-elle se réveiller ?... » La vieille amie était terriblement inquiète. Goûter à nouveau, l'espace d'un été, à l'enivrement de la jeunesse, pour devoir en faire son deuil du jour au lendemain, lui paraissait bien cruel. Henriette se refusait à envisager un malheur encore plus grand.

Lorsque Xavier arriva, elle lui fit remarquer les changements sur le visage de Maude. Il la contempla un instant, caressa ses cheveux et réchauffa ses mains glacées dans les siennes.

— Impossible de douter, à présent. Je devrai tenter d'expliquer cette invraisemblable histoire aux médecins. De toute façon, ils verront bien eux-mêmes.

Effectivement, dans la semaine qui suivit, les spécialistes, stupéfaits et complètement déconcertés de voir Maude vieillir peu à peu chaque jour, envisagèrent la possibilité d'une progérie, cette maladie extrêmement rare qui provoque chez certains nouveau-nés un vieillissement rapide, mais qui, jusqu'à ce jour, n'avait jamais été diagnostiquée chez un adulte. Ils refirent des tests.

Xavier comprit qu'il ne pouvait plus se taire. Il devait parler de Rochester et de son élixir de jouvence que Maude avait pris, sans le savoir, trois mois auparavant. La direction de l'hôpital, devant l'impuissance de son personnel médical à s'entendre sur un diagnostic, avait appelé en consultation l'éminent professeur Pierre Dessaulles. Xavier sollicita donc un entretien avec lui. Il raconta toute l'aventure, y compris le cas de sa belle-fille, qui faisait usage de la potion depuis quelques années et conservait, passée la cinquantaine, l'apparence de ses vingt-cinq ans.

Au lieu d'adopter l'attitude sceptique à laquelle Xavier s'attendait, le célèbre biologiste l'écouta avec le plus grand intérêt, ne repoussant pas d'emblée la possibilité d'une réalisation aussi stupéfiante.

— Monsieur Moreau, ce que vous m'apprenez éclaire, croyez-le ou non, un cas des plus mystérieux dont m'a récemment parlé un collègue brésilien. Une jeune femme opérée à sa clinique d'une tumeur cancéreuse au sein s'est soudain mise à dépérir, alors que tout s'était bien passé. Plus faible de jour en jour, elle est tombée dans une sorte de coma pendant que son corps vieillissait à un rythme accéléré.

— Et alors, que lui est-il arrivé ? questionna Xavier, le regard plein d'angoisse.

— Elle est morte, hélas, sans que mon collègue et ses adjoints aient pu faire quoi que ce soit.

Xavier se leva d'un bond, comme mû par un ressort. Il était livide.

— Maude ne mourra pas. Il faut trouver quelque chose, vous m'entendez ?

— Calmez-vous, monsieur Moreau. Son dossier, que j'ai soigneusement étudié, ne mentionne aucune maladie, seulement une usure généralisée. Mais si nous partons du principe que madame Lambert est en réalité une femme de soixante-dix ans, c'est une usure par rapport à l'âge qu'elle paraissait avoir. Naturellement, avec ce qui lui est arrivé, nous nageons dans l'inconnu. Son état sera surveillé jour et nuit.

— Vous ne tenterez rien ? Cette Brésilienne qui est morte...

— N'oubliez pas qu'elle combattait un cancer et avait reçu de la chimio. Son organisme était sans doute trop affaibli pour réagir. Réfléchissons à une chose, monsieur Moreau : l'homme de génie qui a su inventer cette potion de jouvence aurait-il été incapable de prévoir une conséquence autre que la mort pour la personne qui serait dans l'impossibilité de se procurer une deuxième ou une troisième dose ? Ç'aurait été la fin de son commerce.

Le professeur fit le tour de son bureau pour se

rapprocher de Xavier, son visage d'ascète au regard bleu penché vers lui avec sympathie et compréhension.

— Ce que je vais vous dire va sans doute vous étonner de la part d'un scientifique. Mais je crois qu'à défaut de référence dans un cas aussi inusité que celui-ci, il n'est pas défendu d'écouter son intuition. Et j'ai l'intuition que cette phase de léthargie constitue un passage inévitable avant que la personne retrouve son état normal, son âge véritable, si vous préférez. En conséquence, mon avis est qu'il vaut mieux ne pas intervenir.

Le professeur Dessaulles avait vu juste. Après seize jours de sommeil, Maude ouvrit les yeux et, dans un souffle, appela Xavier. Il pleurait de joie.

— Le cauchemar est terminé, ma chérie, tu iras mieux.

Elle eut un faible sourire, et son teint s'anima légèrement. La vie lui revenait.

— Qu'est-ce qui s'est passé ? Je me souviens seulement d'une insurmontable fatigue.

Avec ménagement, Xavier dut alors lui apprendre que la fin du miracle s'était produite un peu plus tôt que prévu au cours de son long sommeil. Maude ne dit rien, mais ses yeux se remplirent de larmes, qui coulèrent le long de ses joues amaigries. Cette douleur muette bouleversa Xavier encore davantage. Pendant quelques minutes, elle pleura silencieusement, la tête appuyée sur son épaule. Dire qu'elle se croyait préparée ! Et voilà, ça lui tombait dessus comme un cataclysme. Pourquoi, le jour de ses soixante-dix ans, une main étrangère était-elle venue reculer l'horloge du temps pour lui redonner sa jeunesse ? Elle s'était laissé prendre au mirage et avait passionnément souhaité que cela ne finisse pas. Quelle imprudence ! Il fallait maintenant regarder la réalité en face.

— C'est si difficile de renoncer, dit-elle à Xavier d'une voix tremblante.

Il la serra plus fort. Il comprenait, sachant trop bien, hélas, avec l'exemple de sa belle-fille, jusqu'où pouvait mener ce besoin obsessif de conserver l'apparence de la jeunesse. Parfois, il plaignait les femmes (avec un certain malaise, en tant qu'homme) à qui l'on donnait à croire que, pour mériter d'être regardées, aimées, elles avaient l'obligation d'être jeunes et jolies. Autrement... le jugement de la société était cruel lorsqu'elles ne présentaient plus l'image de la séduction.

Au bout de deux jours, Maude put faire quelques pas et manger légèrement. Enfin Xavier et Henriette pouvaient respirer. Le docteur Dessaulles se montra optimiste.

— Votre état est satisfaisant. Il vous reste à reprendre du poids et des forces.

Il conseilla un séjour à la montagne, de longues promenades au grand air et du calme, grâce à quoi il était certain d'un rétablissement complet.

* * *

Ils avaient choisi la Haute-Savoie et en étaient enchantés. Chaque matin, sur le balcon de leur chambre d'hôtel, dans l'air pur et vivifiant, ils pouvaient admirer les sommets enneigés qui se profilaient sur un ciel d'azur sans nuages. À leurs pieds brillait, comme un joyau, le magnifique lac d'Annecy. Septembre était glorieux et le temps se maintenait au beau depuis leur arrivée, huit jours auparavant. Déjà Maude avait recouvré sa santé, son teint clair et sa bonne forme. Xavier aussi. Dissipée, la fatigue accumulée durant les deux semaines d'angoisse au chevet de Maude. Ils se sentaient revivre tous les deux, et l'endroit leur plaisait tellement qu'ils auraient volontiers prolongé leur séjour, mais il fallait bien penser à rentrer au bercail.

Henriette y était déjà, repartie dès qu'elle avait su son amie hors de danger.

— Je vous attendrai avec le champagne et le meilleur koulibiac que vous aurez jamais mangé.

* * *

Dans l'avion, Maude avait l'impression qu'un siècle s'était écoulé entre son départ de Dorval avec Henriette, le 8 juillet, et le présent vol de retour à Montréal. Depuis son long sommeil, les événements de ces trois mois volés à la marche du temps s'estompaient dans un passé qui lui paraissait presque irréel. Mais elle avait traversé le pont et ne voulait plus reluquer de l'autre côté de la rivière. Son présent était là, près d'elle, c'était Xavier. Elle passa son bras sous le sien et lui dit à l'oreille : « Je n'ai jamais aimé aussi fort que je t'aime. »

* * *

— Madame Lambert ! J'peux pas croire que vous êtes revenue. Ça fait si longtemps ! Vous avez l'air vraiment bien.

— Merci, madame Sirois. Je suis guérie de mon arthrite. C'est extraordinaire, n'est-ce pas ?

Henriette était allée cueillir les amoureux à leur arrivée et, en les déposant devant l'immeuble de Maude, leur avait donné rendez-vous chez elle un peu plus tard, pour le dîner. Xavier empoignait les valises quand madame Sirois avait surgi devant eux.

— Xavier, je te présente notre concierge. Madame Sirois, voici Xavier Moreau, mon fiancé.

Les yeux de la concierge n'en finissaient pas de s'arrondir d'étonnement. Il était visible que le bel homme à cheveux blancs l'impressionnait beaucoup.

— Heu... heureuse de vous connaître, bredouilla-t-elle tandis que Xavier la gratifiait de son plus séduisant sourire.

— Tu viens de faire une conquête définitive, observa Maude, amusée, en montant l'escalier. J'espère que tu t'en tiendras là, parce que je serai très jalouse, je te préviens.

— Alors, nous serons deux, mon amour.

En ouvrant la porte de son appartement, Maude promena un regard attendri sur le décor.

— C'est fou ce que je suis contente d'être ici. J'ai adoré chaque minute de notre voyage, mais il n'y a rien comme de revenir à la maison. Bienvenue chez nous, dit-elle en enlaçant le grand corps de Xavier.

Ils abandonnèrent les valises dans l'entrée, remettant au lendemain la tâche de les défaire, et s'allongèrent sur le lit pour prendre un peu de repos. Ils ne tardèrent pas à s'endormir profondément, l'un contre l'autre. Ce fut la sonnerie du téléphone qui les tira du sommeil. Henriette leur rappelait l'heure.

— Je vous attends, les tourtereaux.

— Mille excuses ! Nous avons fait la sieste. Le temps de nous rafraîchir et nous arrivons.

— C'est comme je vous le dis : son exposition à Rome a été une grande réussite et ce sont vos portraits qui lui ont valu le plus d'éloges. Cedric en est très heureux.

Ils finissaient l'excellent dîner qu'Henriette avait préparé et sirotaient un dernier verre de vin.

— Et comment va-t-il ? s'informa Maude.

— Bien. Enthousiaste et d'excellente humeur, du moins, au téléphone. Il a demandé de vos nouvelles et j'ai dit que vous reveniez bientôt. C'est là qu'il m'a annoncé la tenue d'autres expositions, aux États-Unis et ici même, au Québec. Plusieurs propriétaires de galeries importantes de ce côté-ci de l'Atlantique se sont montrés très intéressés par ses œuvres.

— Tu ne lui as pas parlé de ma… de mon… histoire, j'espère ?

— Mais non. Je ne l'aurais pas fait sans savoir ce que tu en penses.

— Je préfère qu'il ne sache jamais rien, dit Maude d'un ton net.

— Est-ce que ça veut dire que tu ne le verras pas, s'il vient à Montréal pour exposer ? Ce sera difficile.

— Nous inventerons quelque chose…

— C'est cela, nous verrons en temps et lieu, approuva Xavier, qui comprenait les réticences de Maude.

— Ce qui m'importe le plus pour le moment c'est que nous décidions d'une date pour notre mariage.

— En effet, il est grand temps de régulariser votre situation, plaisanta Henriette.

Maude lui tira la langue et entraîna Xavier devant la fenêtre pour lui faire admirer les dernières lueurs du couchant. Le soleil venait de basculer derrière l'horizon en laissant des traînées flamboyantes sous le gris sombre des nuages. L'effet était saisissant.

— Sur l'eau, dit Maude tout à coup, comme si elle venait d'avoir une inspiration. J'aimerais qu'on se marie sur l'eau.

— Comment ?

— Oui, à bord d'un bateau, sur la rivière.

— Mais quelle idée magnifique ! s'exclama Xavier. Il y a sûrement moyen d'arranger cela.

— Ça pourrait être drôlement chouette, ajouta Henriette.

* * *

Le 5 octobre à 11 heures, sous le ciel céruléen d'une parfaite journée d'automne, la noce entière et le curé, accueillis par le capitaine, montaient à bord du *Princesse Aurora*, un superbe yacht tout blanc loué pour la journée à un riche citoyen de Ville Le Ber. Tout s'était facilement organisé par l'entremise du club nautique.

La brève cérémonie au cours de laquelle Maude et Xavier échangèrent leur serment avait pour témoins Henriette et le jeune capitaine, et se déroula sur le pont, au soleil, pendant que le bateau ouvrait lentement les eaux soyeuses de la rivière. Le couple avait tenu à la présence de la famille Vigeant au complet, père, mère, fils et tante, pour les remercier du rôle qu'ils avaient joué dans le sauvetage de Xavier. Stanislas, l'aîné, accompagnait sa tante Lucienne, pendant que Robin donnait le bras à la petite réceptionniste, qui attachait sur son héros des yeux pleins d'admiration. Un amour tout neuf à côté d'un autre, plus ancien, longtemps ignoré, comme un feu couvant sous la cendre, mais qui avait rejailli plus ardent qu'autrefois.

Le temps superbe, la majestueuse promenade du *Princesse Aurora* au milieu de la rivière, le succulent déjeuner et, surtout, la joie des convives, tout contribua à rendre cette journée inoubliable.

Au retour, en fin d'après-midi, après avoir découpé le gâteau de noces, les époux s'isolèrent un instant sur le pont. Sans un mot, enlacés, ils contemplaient l'eau et la montagne, qui revêtaient peu à peu les teintes rougeoyantes du firmament. Une paix indicible les envahissait. Ils espéraient que l'avenir leur permettrait de voguer, eux aussi, comme ce bateau, sur des eaux calmes, jusqu'à la fin du voyage.

* * *

Après leur mariage, Maude et Xavier ne partirent pas en lune de miel. Ils estimaient avoir assez voyagé durant l'été. Les dernières semaines d'octobre furent plutôt consacrées à la recherche d'une maison selon leur cœur, près de la rivière, et, avec l'agent immobilier, ils en visitèrent plusieurs. Celle qui les séduisit immédiatement était une vieille maison en pierre où un peintre peu connu, qui venait de mourir, avait vécu seul de longues années. Construite sur une petite élévation à une trentaine de mètres de la rivière, entourée de grands arbres, elle était en piteux état mais avait un charme fou. Les importantes réparations et rénovations à effectuer ne faisaient pas peur à Xavier, qui avait construit des immeubles dans l'Ouest pendant plus de quarante ans. Il s'en frottait même les mains, heureux de pouvoir, une dernière fois, diriger des travaux.

— Tu ne trouves pas qu'il est beaucoup question de peintres et de peinture dans notre vie ? lui fit remarquer Maude, un jour. Nous nous sommes revus Chez Manet, nous achetons la maison d'un peintre ; un peintre a fait nos portraits et tu as toi-même déjà rêvé d'être peintre. Tu n'y vois pas le signe que tu devrais t'y remettre ?

— Je ne sais pas… Nous verrons après les travaux. Peut-être…

Il n'avait pas dit non.

Quant à Maude, la vue du pauvre jardin abandonné lui avait fait battre le cœur. « Je vais te redonner vie. » Toute une géométrie de plates-bandes, de massifs, de petites allées se dessinait dans sa tête.

* * *

À la mi-octobre, le couple reçut l'assignation à comparaître au procès du trio Rochette-Glenn-Hernandez, le 30 octobre, à 9 heures. La veille, ils se rendirent au bureau du sergent Laforge pour lui remettre les passeports qui avaient servi à Maude. C'était leur première visite à la S.Q. depuis leur retour d'Europe. Le policier les accueillit chaleureusement sans passer de commentaire sur le changement de Maude, mais celle-ci eut le temps de capter l'éclair de surprise et de gêne dans ses yeux quand il lui serra la main. Elle le sentait un peu mal à l'aise. Son regard n'était plus celui qu'a tout mâle, même à son insu, devant une femme séduisante. Elle en ressentit un petit froissement intérieur, un rappel de son âge. Elle ne s'était pas encore tout à fait réhabituée…

Le sergent leur raconta ce qui s'était passé durant leur absence : le 10 septembre, on s'était rendu compte que le local où étaient entreposées les fioles restantes de Jouvencia avait été cambriolé et qu'elles avaient disparu. L'enquête n'avançait pas. Le policier assurait que personne d'autre que lui ne connaissait le contenu de ces fioles et son pouvoir rajeunissant, pas même les agents chargés de les saisir. Le voleur l'avait forcément appris d'une autre source. Laquelle ? Aucune empreinte n'avait pu être relevée. Le mystère demeurait entier.

Cependant, en prison, Julien Rochette réclamait son produit et, quand on le mit au courant du vol, il entra dans une véritable crise de fureur, accusant la Sûreté de lui avoir pris son invention. Il se disait un bienfaiteur de l'humanité. Il déclarait qu'au lieu de l'emprisonner, on devrait l'aider à poursuivre ses recherches afin d'améliorer la Jouvencia et de la rendre disponible à moindres coûts. L'idée qu'un autre savant ou une firme importante puisse s'accaparer des résultats de trente ans de travail, usurper le prestige et la gloire et encaisser les bénéfices le rendait fou de rage. Il était si agité qu'on dut lui administrer un sédatif. Depuis, il ne décolérait pas. Dorothy, elle, ne parlait à personne et semblait absente.

— Quel gâchis ! soupira Xavier.

— En effet.

Le sergent les reconduisit à la porte.

— Je vous remercie d'être venus. À demain.

* * *

— Accusés, levez-vous.

Au terme d'un court procès, Julien Rochette, alias Julian Rochester, et Dorothy Glenn, trouvés coupables de séquestration, de tentative d'extorsion et de tentative d'atteinte à la santé mentale du plaignant Xavier Moreau, furent condamnés à vingt mois de prison. Pablo Hernandez, n'étant que leur employé, s'en tira avec dix mois, pour complicité. Toutefois, comme il résidait au Canada illégalement, il serait renvoyé dans son Brésil natal après sa peine. Les deux infirmiers, le grand rouquin et le petit brun, ayant collaboré avec la police, se trouvaient libres, compte tenu des quatre mois déjà passés à l'ombre.

Les accusés reçurent leur sentence sans émotion apparente. Rochette demeurait arrogant et promenait sur l'assemblée un regard de mépris. Pablo Hernandez, tête basse, fixait le sol, tandis que Dorothy paraissait changée en statue de sel.

Maude observait cette femme, pour le moment toujours jeune et d'une beauté que les mois de détention n'avaient pas encore altérée, et se disait que bientôt, elle et le pharmacien, privés de la potion, redeviendraient ce qu'ils étaient en réalité. Pour eux la punition serait double, et encore plus terrible pour Dorothy. Là où l'on pouvait ne voir qu'un cas extrême de narcissisme, Maude croyait voir l'angoisse, l'angoisse folle de n'être plus rien devant les autres, de n'avoir plus de raison d'exister. Sans sa jeunesse et son extraordinaire beauté, qu'allait-elle devenir ? Elle n'avait jamais su faire de place à l'amour dans sa vie. Sa solitude serait amère et désespérée.

Dans la voiture, Xavier gardait le silence. Cette journée avait été éprouvante pour lui, et Maude devinait que, malgré ce que Dorothy lui avait fait, il ne se réjouissait pas de sa condamnation. On n'élimine pas du jour au lendemain une affection de longue date. Il se sentait prêt à lui pardonner, mais à aucun moment elle n'avait eu un geste vers lui, ni un mot de repentir, pas même un regard durant le procès. Comme s'il n'existait plus. Pour Maude, Dorothy était un cas de psychiatrie et elle souhaitait que Xavier puisse un jour tourner la page. Heureusement que les travaux à la maison débutaient dans peu de temps…

* * *

— Bonne et heureuse année à tous !

Xavier et Maude trinquaient à la santé des amis venus fêter avec eux, dans leur nouvelle maison, à la fois le Premier de l'an et la pendaison de crémaillère.

Le couple avait emménagé une semaine avant les fêtes, et Maude s'était empressée d'installer un grand sapin qui brillait de lumières multicolores devant la baie vitrée du salon. Comme dans son enfance. Avec Xavier, ils avaient passé leur premier Noël ensemble dans l'intimité, en amoureux, mais la Saint-Sylvestre réunit chez eux tous les invités présents à leur mariage, et la soirée fut très gaie. Lorsque la compagnie se retira, Henriette, restée seule avec ses amis, sortit de son sac une lettre.

— Elle est de Cedric. Il m'annonce qu'il sera à Montréal les 27, 28 et 29 de ce mois, pour son exposition à la galerie Fontanges. Il vous salue et espère vous voir. Qu'est-ce que je lui réponds ?

— Que nous serons au vernissage, dit Maude calmement.

Les deux autres s'étonnèrent.

— Vraiment, tu es sûre ? demanda Xavier. Rien ne t'y oblige, tu sais. Nous pouvons prétexter un voyage ou une grosse grippe…

— Oui, j'ai pensé à cela. Mais la prochaine fois ? Rien ne prouve que nous ne le rencontrerons plus jamais. Non. Il vaut mieux prendre le taureau par les cornes maintenant et, après, je pourrai dire : affaire classée.

Henriette était perplexe.

— Comment comptes-tu expliquer ton…

— En lui dévoilant une demi-vérité. Pas question de lui parler du philtre, bien entendu. Et c'est à toi que je vais demander de le faire, si tu veux bien. Écris-lui qu'à Paris, je suis tombée très malade d'une maladie étrange et rare, qui fait vieillir en accéléré. Dis-lui que les spécialistes ont heureusement réussi à stopper sa progression, que j'ai recouvré la santé, mais qu'il devra s'attendre à me trouver… différente. Qu'en pensez-vous ?

— Ça me paraît une bonne solution, approuva Henriette.

Xavier savait ce que cette décision coûtait à Maude. Il la prit dans ses bras.

— Tu es ma perle et mon bonheur et la plus belle femme du monde.

Maude sourit.

— Je crois que tu as quelques préjugés en ma faveur.

Ils s'embrassèrent sous l'œil attendri d'Henriette.

— J'écrirai à Cedric dès demain. Allez dormir maintenant, les tourtereaux, il est tard.

* * *

La galerie Fontanges débordait déjà de monde lorsque les trois amis y entrèrent. Un peu perdus, ne connaissant personne, ils cherchèrent Cedric des yeux et le découvrirent au fond de la salle, entouré d'un groupe compact d'admirateurs avec qui il discutait aimablement. Ne voulant pas l'interrompre, ils commencèrent la visite. Xavier fut très impressionné par les œuvres du peintre, qu'il trouva originales, vivantes et fort attrayantes. Mais devant les portraits, il demeura bouche bée.

— C'est magnifique, absolument renversant ! murmura-t-il.

Autour d'eux fusaient des commentaires dithyrambiques. On se demandait qui pouvaient bien être ces deux jeunes gens d'une si exceptionnelle beauté. Sur les notices, pas de noms, seulement le titre et la date : *Portrait d'un jeune homme*, Londres, 1988 – *Portrait d'une jeune femme*, Honfleur, 1990. Collection de l'artiste.

Maude se mit un peu à l'écart de la file des gens qui se pressaient devant les tableaux. Revoir son portrait lui causait une émotion plus intense qu'elle n'aurait cru. Le voyage, Honfleur, Cedric…

Les images se succédaient dans sa tête. Mais elle n'était plus la resplendissante jeune femme du portrait et même si, ce soir, elle se savait élégante et tout à fait à son avantage, elle redoutait le premier regard que le peintre porterait sur elle.

Pendant qu'Henriette poursuivait la visite, Xavier vint la rejoindre et ils virent Cedric, à quelques mètres, au milieu d'un îlot de visiteurs et son regard croisa soudain celui de Maude, dont le cœur battit très fort: qu'allait-elle lire dans ce regard? Une seconde, il parut surpris, incertain, détourna les yeux, puis la fixa de nouveau, et elle vit alors le visage de celui qui lui avait chuchoté à l'oreille un soir: « De toute ma vie, je n'ai vu de femme aussi belle que vous », se décomposer, prendre l'expression affolée de quelqu'un qui ne sait plus que faire. Essayant de masquer son malaise sous un sourire crispé, il se fraya un chemin jusqu'à eux et les salua, sans oser regarder Maude en face. Elle prit les devants, apparemment sereine.

— C'est tout un choc, n'est-ce pas Cedric?

— Oh! Maude, murmura-t-il en prenant la main qu'elle lui tendait, comme je suis triste pour vous. Mais l'important c'est que vous soyez toujours là et en bonne santé.

— C'est ce que nous pensons aussi, affirma Xavier en enveloppant sa femme d'un regard tendre.

Puis il ajouta qu'il trouvait ses œuvres vraiment magnifiques et était bouleversé par la beauté des portraits... Cedric parut heureux de cette appréciation et, ayant recouvré son *self-control*, se mit à parler avec enthousiasme de ses expositions passées, futures, de ses projets, et Maude remarqua qu'il s'adressait surtout à Xavier, la regardant à peine. Elle en éprouva une gêne qui ne lui était pas coutumière. Une désagréable impression de se fondre peu à peu dans le décor, de devenir inintéressante. Elle avait envie de tirer sur sa manche et de lui dire : « Hé, je suis là ! » Heureusement, Henriette surgit à point pour rétablir l'équilibre. Elle l'embrassa avec beaucoup d'affection.

— C'est un succès foudroyant, Cedric ! Vous avez vu la constellation de points rouges au bas de vos toiles ? Deux sont à moi. J'ai choisi des marines du port d'Honfleur. Elles me rappelleront de bien beaux souvenirs.

— Vous m'en voyez ravi, Henriette.

Le peintre souriait, mais il paraissait distrait depuis un moment. Son regard errait à gauche et à droite, et il surveillait l'entrée comme s'il attendait quelqu'un. Il consulta même une fois discrètement sa montre. Soudain son visage s'éclaira : une somptueuse créature brune, grande et filiforme, venait de pousser la porte et balayait la salle d'un regard plein d'assurance. Cedric s'excusa rapidement et s'élança à la rencontre de cette jeune femme, la serra brièvement dans ses bras, lui dit quelque chose à l'oreille qui la fit sourire, et tous deux allèrent se joindre au petit cercle qui s'était formé autour du propriétaire de la galerie, Bertrand Fontanges. Le peintre n'eut pas un dernier regard pour ses amis.

— Partons, décida Xavier.

— Je crois que notre grand artiste ne souhaite pas que nous nous attardions auprès de lui, ce soir, observa-t-il au vestiaire, en aidant Maude à mettre son manteau.

— Peut-être verrons-nous bientôt un autre merveilleux portrait ? ajouta Henriette.

Silencieuse, Maude devait s'avouer que l'apparition inattendue de cette sirène aux yeux noirs, qui avait l'air d'être la nouvelle flamme de Cedric, lui causait un désagréable petit pincement du côté de l'ego. Le grand amour de juillet semblait bel et bien mort. Elle se revit au bras de Xavier le dernier soir à Florence, entrant dans la salle de l'hôtel sous les chuchotements flatteurs. Sa beauté rousse éblouissait, et Cedric, alors amoureux fou, n'arrivait pas à la quitter des yeux. « Comme tout est éphémère ! » songea-t-elle avec un petit sourire ironique, mais néanmoins satisfaite d'avoir clos le chapitre Honfleur.

Vers minuit le même soir, dans leur chambre, après l'amour, Maude, la tête au creux de l'épaule de son mari, lui posa une question.

— Dis-moi, Xavier, serais-tu tenté, toi, de redevenir jeune si on t'offrait la potion ?

Il réfléchit une seconde.

— Je ne crois pas. Retourner dans la mêlée alors que je suis si bien, si heureux d'avoir tout laissé et d'être libre de ne penser qu'à nous deux ?

— Tu n'aurais pas à retourner au travail, tu es riche. Tu pourrais te remettre à peindre…

Xavier se dressa sur un coude.

— Commencerais-tu à me trouver trop vieux pour toi ?

Elle éclata de rire.

— Bien sûr que non. Je voudrais seulement connaître tes idées là-dessus. Nous n'en n'avons jamais parlé. Tu étais beau comme un dieu.

— Et vaniteux comme un paon ! Non, tu vois, ma chérie, j'ai la conviction qu'on ne doit pas dévier de sa route, retourner en arrière, risquer de refaire les mêmes erreurs. Je craindrais de cesser d'évoluer, et je pense que je suis un homme meilleur depuis que j'ai vieilli. D'ailleurs, chacun sait que c'est beaucoup plus important pour les femmes de rester jeunes et belles. Nous, les hommes…

Maude lui pinça le bras.

— Aïe, gémit Xavier, feignant une grande douleur.

— Ça t'apprendra à me faire des réponses de macho… dont tu ne penses pas un mot, d'ailleurs.

Xavier redevint sérieux.

— C'est vrai aujourd'hui. Mais ça ne l'a pas toujours été. Souviens-toi comment j'étais à vingt ans. Un jeune sot fier de son apparence qui ne daignait remarquer que les belles filles. Toi, surtout, la belle des belles. Les autres, même gentilles et intelligentes, n'existaient pas. Je ne leur accordais aucune attention. Mais toi, je te voulais. Par-dessus tout, je désirais posséder la beauté de ton corps, persuadé que ce n'était que cela, l'amour. Seulement, je n'avais aucune notion de l'être qui vivait à l'intérieur de ce corps. Non, je t'assure, redevenir ce petit tombeur égocentrique ne me dirait rien du tout.

— Quand même, poursuivit Maude, rêveuse, imagine qu'un jour la potion devienne accessible à tous. Pense aux innombrables misères qui seraient évitées si le corps restait toujours jeune…

— Oh ! Je suis bien tranquille, répliqua Xavier. Même jouissant d'un avantage aussi inouï, les gens trouveraient encore le moyen d'être malheureux et de se taper mutuellement sur la gueule. Surtout que les pays pourraient compter sur un vaste réservoir de jeunes soldats.

— Ouais… Mais moi, ça t'aurait plu que je reste jeune ?

— Pour qu'un jour tu te lasses de ton vieux mari et rêves de t'envoler avec un quelconque Cedric de trente ans ? Non, madame !

Maude riait doucement.

— Tu as raison. Ne prenons pas de risque, restons vieux tous les deux.

* * *

Le sergent Laforge se souviendrait longtemps de ce 1er février 1991. En arrivant à son bureau, un message important l'attendait : celui du directeur de la prison où était écroué Julien Rochette. L'homme avait été trouvé mort dans sa cellule, quelques heures auparavant, par le gardien qui faisait sa ronde de nuit. À première vue, il ne s'agissait pas d'un suicide. On supposait une embolie ou une crise cardiaque. Le corps avait été transporté à la morgue, et il y aurait autopsie.

Ce brusque décès ne surprenait pas le sergent. Après tout, Rochette avait quatre-vingts ans et se démenait dans un état permanent de colère et de frustration depuis le vol de ses vingt-cinq dernières fioles de Jouvencia. Ça n'avait pas dû aider à diminuer sa tension artérielle. Imprécations constantes envers le policier lui-même et la S.Q. tout entière, qu'il traitait d'incompétents, de filous et d'imbéciles... Le capitaine Haddock en plein délire ! « Pauvre bougre, au fond », se dit le sergent. Le sort avait décidé de mettre fin aux tourments de son esprit. Et, pendant ce temps, la recette magique qui permettait de redonner et d'entretenir la jeunesse se promenait dans la nature, ou avait déjà été récupérée par des mains profiteuses. Qu'allait-on voir dans l'avenir ? Laforge soupira. Puis il appela la nouvelle secrétaire à l'interphone.

— Mademoiselle Dubuc, trouvez-moi le numéro de Xavier Moreau à Ville Le Ber et apportez-moi le courrier, s'il vous plaît.

— Bien, monsieur.

L'enveloppe mauve, dont le timbre portait l'estampille de Majorque, l'intrigua tout de suite. Il l'ouvrit d'un coup sec de son coupe-papier et en retira plusieurs feuillets écrits à la main, qu'il lut avec stupéfaction.

Cher sergent Laforge,
Quand vous lirez cette lettre, mon mari et moi serons sous d'autres cieux, heureux, libres et... jeunes ! Je suppose que vous me voyez venir. Je connais votre

flair et ne serais pas étonnée pour deux sous que vous ayez eu la puce à l'oreille avant aujourd'hui. En effet, la secrétaire quinquagénaire, mariée à un ex-policier de la S.Q., qui décide brusquement de prendre une retraite anticipée, peu de temps après le vol des flacons de Jouvencia ? Cela a dû vous faire réfléchir. Si ce n'est pas le cas, c'est que vous étiez incapable d'imaginer Aline Blondel autrement qu'en fidèle, honnête, compétente, sérieuse et efficace secrétaire. Étais-je seulement une femme pour vous ? J'en doute. Je n'étais ni jeune ni belle.

Moi aussi, voyez-vous, je me croyais une personne honnête, et Dieu m'est témoin que de toute ma vie je n'ai commis un acte illicite, pas même la plus petite fraude fiscale. Mais il faut croire que mon honnêteté ne s'était pas encore frottée à la « bonne » tentation, celle qui la ferait flancher. Elle a donc rencontré son Waterloo en ce dimanche de la fin mai 1990, alors que, secrétaire modèle et dévouée, je m'étais rendue au travail volontairement pour terminer un dossier en retard. J'ai soudain vu arriver trois personnes : une jeune femme très belle accompagnée d'un homme et d'une femme plus âgés, qui demandèrent à vous voir et que j'ai fait entrer dans votre bureau. Ma curiosité a été piquée lorsque j'ai entendu, malgré moi, quelques phrases étonnantes. (Ces gens parlaient haut et vous aviez sans doute oublié ma présence.) Alors, oui, je suis allée coller mon oreille à votre porte et j'en ai entendu assez pour vouloir connaître tout le reste de l'histoire.

À partir de là, j'ai profité de vos absences pour fouiller dans vos dossiers. J'ai lu que les fioles miraculeuses avaient été trouvées dans un congélateur. J'en ai déduit qu'elles devaient être entreposées à la

S.Q., aussi dans un congélateur. La suite a été très facile, dès que j'ai pu repérer le local qui en était pourvu.

J'ai alors tout raconté à mon mari et lui ai fait part de mon plan : nous nous emparons du produit ; un peu plus tard, je démissionne pour raison de santé ; nous liquidons nos affaires et nous partons en voyage autour du monde, comme nous en avons toujours rêvé. Ça, ç'a été le Waterloo de son honnêteté à lui, à Simon : le tour du monde ! Car je dois à la vérité d'avouer que j'ai dû faire pression pour qu'il accepte de cambrioler son ancien employeur. En bon ex-policier, il a su pénétrer dans le lieu et trafiquer les serrures sans laisser ni traces, ni empreintes.

Ah ! Le jour où nous nous sommes réveillés tous les deux rajeunis de trente ans ! Vous ne pourrez jamais imaginer notre exaltation, notre joie folle. J'ai aussitôt pris rendez-vous avec le meilleur chirurgien esthétique de… (je ne dirai pas où), et j'aimerais que vous puissiez me voir maintenant avec mon joli petit nez et mes dents réparées et blanchies : je ne suis pas vilaine du tout. Je souffrais depuis l'enfance de mon manque de beauté. Je trouvais la vie injuste et enviais certaines de mes camarades plus choyées par la nature. Ma jeunesse à moi a été studieuse, besogneuse et terne. À vingt-cinq ans, j'entrais à la Sûreté du Québec, à titre de secrétaire. Eh, oui ! Plus d'un quart de siècle de bons et loyaux services foulés aux pieds, partis en poussière pour deux ou trois années de jeunesse et de l'argent, beaucoup d'argent. Car évidemment, je suis allée au bout de mon méfait : j'ai vendu l'un des flacons à quelqu'un de très intéressé qui avait les moyens de m'en donner une somme faramineuse. Ce qui nous permettra de vivre, mon mari et moi, dans un luxe dont nous ne pensions jamais jouir de toute notre existence. Je sais, c'est odieux pour le dénommé Rochette d'être ainsi dépouillé de son invention et de ses droits. Mais je ne le plains pas. Il n'avait qu'à œuvrer au grand jour, faire connaître ses recherches. Il a préféré se cacher, travailler seul, et n'a pas hésité à tenter de rendre un homme fou, afin de pouvoir s'emparer de sa fortune. Et puis, que voulez-vous, mon cœur saigne en pensant à toutes ces petites créatures qui n'ont pas vu le jour à cause de lui.

Voilà, cher sergent Laforge, ma confession complète. Je l'ai faite par estime pour vous, pour que l'on ne puisse pas vous soupçonner en aucune manière. Au cas où vous essayeriez de nous retrouver, je vous signale que nous ne sommes plus les mêmes physiquement et que nous circulons par monts et par vaux, à travers le monde, avec une nouvelle identité: Simon aussi connaît les bonnes adresses.

Pour finir, croyez-moi, je ne regrette rien. C'est notre revanche sur le quotidien morne et mesquin, les emplois subalternes, les rêves étouffés et le misérable « p'tit pain » pour lequel on semblait être nés. C'est le cas de le dire, nous avons fait peau neuve. Et même si ça ne doit pas durer, nous en profitons AU MAX !!!

Bien à vous,

Aline Blondel, ce 25 janvier 1991

P.S. Et si l'enquête tombait aux oubliettes, hein ? Entre vous et moi, ce ne serait pas la première fois.

Médusé, le sergent Laforge remit les feuillets dans l'enveloppe. Il n'en revenait tout simplement pas. Jamais il n'aurait cru cette femme sérieuse, plutôt effacée, capable d'un tel revirement. Le fameux flair dont elle le louait n'avait pas opéré, et il s'étonnait de ne pas en être plus mécontent. En fait, il se sentait presque épaté par l'audace et le sang-froid de l'ancienne secrétaire. « C'est le comble pour un policier », se reprocha-t-il. Et puis, au fond, volées pour volées, il valait mieux que les fioles l'aient été par des personnes dont le seul but était de prendre du bon temps, plutôt que par des criminels notoires qui s'en serviraient pour échapper à la justice.

Un sourire lui vint aux lèvres lorsqu'il imagina Aline Blondel sans son long nez pointu et Simon Blondel sans sa bedaine. Le « jeune » couple devait se la couler douce sur les plages et dans les grands hôtels du monde. À qui pouvaient-ils bien avoir vendu le flacon qui leur permettait maintenant de vivre leurs rêves ? À une multinationale de produits de beauté, de produits pharmaceutiques ? Et où ? Au Canada ? Aux États-Unis ? Impossible de le savoir pour le moment. Peut-être apprendra-t-on un jour que tel ou tel important laboratoire est en train de développer un remède contre le vieillissement. On comprendra alors à qui aura profité le génie de Julien Rochette. Mieux vaut pour lui qu'il soit mort. Il en serait devenu complètement dingue.

Laforge arpentait son bureau en réfléchissant : l'inventeur est mort ; son invention n'est pas brevetée ; il n'avait pas d'héritier connu. À quoi servirait de poursuivre l'enquête ? Les Blondel seraient introuvables pour longtemps. « J'en discuterai avec mes supérieurs », se dit-il. Il prit le dossier Rochester-Glenn dans son classeur et y enferma l'enveloppe mauve. Ensuite, il appela Xavier Moreau.

À deux reprises depuis l'automne, Dorothy avait refusé de voir son beau-père. Mais cette fois, Xavier avait fortement insisté, car il voulait lui annoncer lui-même la mort de Rochester. Quand elle entra, il fut frappé de la voir si vieillie. Le regard éteint, elle s'assit derrière la petite table, sans dire un mot.

— Bonjour, Dorothy, dit doucement Xavier. J'ai tenu à te voir parce que je dois te faire part d'un événement grave. Mais avant, je veux que tu saches que je ne t'abandonnerai pas. Dorothy… Julian Rochester est mort d'une embolie dans sa cellule, il y a trois jours.

D'abord pétrifiée, ne semblant pas comprendre, elle leva ensuite sur son beau-père des yeux hagards, ouvrit la bouche pour parler, mais aucun son n'en sortit, et elle s'affaissa. Une gardienne fut aussitôt sur place, et on la transporta hors de la pièce.

Xavier constatait que Dorothy s'enfonçait dans un état dépressif sérieux qui lui faisait craindre pour sa raison. La pitié l'emportait sur le ressentiment, et il fit des arrangements pour qu'elle soit transférée dans une institution où elle serait soignée mentalement.

* * *

Peu de temps après la mort du pharmacien, des rumeurs étranges commencèrent à circuler à son sujet qu'un journaliste plus curieux que les autres avait recueillies. Le savant emprisonné laissait parfois échapper des révélations troublantes sur ses activités. Il était question de remède magique. Par moments, il réclamait à grands cris sa potion pour « ne pas re-vieillir ». On l'avait cru fou. Mais après une maladie bizarre, il était apparu deux fois plus vieux qu'avant. À pas feutrés, la rumeur s'était glissée hors des murs et en avait croisé une autre venant de la prison des femmes : un cas analogue s'y était produit.

Le journaliste interpellait la direction des deux prisons, le monde médical et la police pour tenter d'aller au fond des choses. Qui était cet homme ? Avait-il vraiment inventé un élixir de jouvence ? Si oui, il ne fallait pas laisser échapper une telle découverte, si capitale pour l'avenir. « Que l'on imagine un peu, écrivait-il, ce que serait une société où les maux de la vieillesse n'existeraient plus ; où les gens pourraient se maintenir à un âge qui leur permettrait de continuer à travailler, à produire ; où il n'y aurait plus de fossé entre les générations, plus de vieillards abandonnés ou maltraités dans de mornes institutions. Que l'on pense à l'économie qui resterait florissante dans tous les secteurs, ne manquant jamais de main-d'œuvre qualifiée, ni de consommateurs avides d'élégance, de distractions, de plaisirs, de nouveautés… Il serait même permis d'espérer une longévité accrue, cent cinquante ans, pourquoi pas ? Quel progrès, quelle perspective de bonheur et de vie meilleure pour les populations du monde ! »

Après deux ou trois articles qui furent qualifiés d'utopiques, de délirants et qui demeurèrent sans écho tant du coté du monde scientifique que médical, sans compter le mystérieux silence de la police, le journaliste finit par laisser tomber le sujet, et la rumeur s'éteignit.

Trois personnes, cependant, préféraient de loin qu'il en soit ainsi. Maude, Xavier et Henriette. Maude surtout n'avait pas envie qu'on aille fouiller dans cette histoire pour découvrir éventuellement qu'elle-même avait été un cobaye de Rochette, et que la chose devienne si publique qu'elle déborde le pays pour arriver aux oreilles de Cedric. Elle redoutait plus que tout au monde ce genre de publicité autour d'elle. Jusqu'ici, seules personnes dans le secret à Ville Le Ber, les membres de la famille Vigeant avaient été d'une discrétion exemplaire, ne voulant causer aucun ennui à ce couple qu'ils aimaient. Ils avaient juré de tout oublier.

Et la vie reprit son cours normal. Dans leur jolie maison près de la rivière, Maude et Xavier connaissaient un bonheur sans limites. Ils se disaient qu'à leur âge, chaque minute était un trésor. Tous les jours, ils s'émerveillaient d'être ensemble et le répétaient sans cesse. Henriette finit par les menacer de les mettre à l'amende chaque fois qu'elle les entenderait s'exclamer. De son coté, la vieille amie avait décidé de donner une compagne à Ronron, une mignonne Poupette qui attendait un heureux événement pour le printemps.

— J'élèverai des petits teckels. J'en rêve déjà, et il y en aura un, ou une, pour vous, si vous le désirez. Non, mais, c'est-y pas merveilleux comme on est heureux !

* * *

25 mai. Le printemps éclatait de toutes parts, et Maude exultait, les mains dans la terre, entourée de boîtes débordantes de jeunes plants dont elle avait déjà garni une bonne partie de la plate-bande. En s'arrêtant une minute pour admirer l'effet, elle vit Xavier s'approcher, une lettre à la main.

— C'est de Cedric. Elle nous est adressée à nous deux. Ouvre-la, ma chérie.

Maude chaussa les lunettes qui pendaient à son cou, retira ses gants de jardinage, décacheta l'enveloppe et lut à haute voix.

Londres, 20 mai 1991

Chers amis,
Ma tournée d'expositions est maintenant terminée, et son succès a dépassé mes plus folles espérances. Je n'ai presque plus rien à montrer et devrai me remettre bientôt au travail. Vos portraits ont donc voyagé, avec mes autres tableaux, dans plusieurs villes sur deux continents et, partout, j'en ai reçu des éloges qui m'ont énormément touché.

En janvier dernier, à la galerie Fontanges de Montréal, j'ai eu l'honneur de recevoir la visite du directeur du Musée des beaux-arts. Lui, comme tant d'autres, s'est dit fasciné par ces portraits et fort déçu qu'ils ne soient pas à vendre. En rentrant à Londres, il y a quelques semaines, une inspiration m'est venue. J'ai pris contact avec monsieur le directeur et l'ai prié d'accepter le don des portraits pour le musée, en l'honneur des deux modèles, qui sont des Québécois et des amis très chers. Il a accepté avec bonheur. Je voulais que vous soyez les premiers à l'apprendre, avec Henriette.

Merci, Maude. Merci, Xavier. Notre rencontre m'aura permis de réaliser deux des œuvres dont je suis le plus fier.

Le Musée me demande s'il y a possibilité d'identifier vos portraits. Ai-je votre permission ?

J'espère que ce message vous trouvera en bonne santé et que nous nous reverrons un jour.

Sincèrement vôtre,
Cedric Nelson

Maude se tourna vers Xavier.

— C'est vraiment chic, ce qu'il a fait.

— Tu as raison. C'est un geste élégant et généreux, et j'avoue que j'en suis extrêmement heureux. Ce sont des chefs-d'oeuvre, tu sais. Cedric sera bientôt un peintre mondialement reconnu.

Le téléphone sonna. Henriette venait elle aussi de recevoir la nouvelle.

— Est-ce qu'il n'est pas merveilleux, notre Cedric ? Quelle classe, hein ? Mes amis, vous voilà immortalisés pour les générations futures. Venez fêter cela à la maison, ce soir.

« Immortalisés pour les générations futures », se répéta Maude, encore éblouie par la nouvelle. La pensée que leurs portraits appartenaient maintenant au Musée des beaux-arts, qu'ils y seraient indéfiniment exposés, la remplissait de joie et de fierté. La réconfortait aussi. Une trace d'elle et de Xavier demeurerait vivante. Comme ni l'un ni l'autre n'avait d'enfant, il lui arrivait parfois de penser tristement qu'il n'y aurait personne pour se souvenir d'eux, quand ils ne seraient plus là. Remontant à la source, Maude se dit que cet heureux épilogue était dû, en définitive, à la potion magique de son défunt pharmacien. Sans la potion, pas de rajeunissement, pas de voyage, pas de Cedric, pas de portrait. Et peut-être pas de Xavier. Serait-il jamais revenu au Québec sans les impérieux besoins d'argent de sa belle-fille pour la Jouvencia ? Elle leva les yeux au ciel avec un sourire. « Bénies soient tes mânes, ô Rochette ! » En même temps, elle se sentait soudain plus légère, comme libérée. Envolés, effilochés dans le vent, les derniers lambeaux de nostalgie encore accrochés au souvenir de sa beauté d'antan. Une œuvre d'art en témoignerait à jamais. Elle ne regrettait plus rien. Seul le présent comptait. À quelques mètres, la rivière rutilait entre ses rives verdoyantes. Elle en respira l'odeur, qui se mêlait à l'air printanier, et une onde de bonheur la parcourut. Elle avait envie de crier joyeusement : « Ce 25 mai 1991, jour de mon soixante et onzième anniversaire, est l'un des plus beaux jours de ma vie ! »

2010
L'affaire du portrait

En début d'année, les journaux signalaient les décès, à quelques semaines d'intervalle, de Maude Lambert et de Xavier Moreau, les modèles des deux plus célèbres portraits du Musée des beaux-arts de Montréal. À la suite de quoi la direction du musée voulut compléter les notices avec leurs dates de naissance et de mort.

On savait déjà que le portrait du jeune homme avait été exécuté en 1988 par le grand peintre anglais Cedric Nelson, d'après une photographie datant des années 1950. Celui de la jeune femme, par contre, daté de 1990, était sensé être le portrait du modèle bien vivant. Or, la consultation des registres de la ville d'origine des époux Moreau montra qu'ils étaient tous les deux nés en 1920. Elle, le 25 mai, lui, le 8 août. Comment une femme de soixante-dix ans aurait-elle pu poser pour cette œuvre éblouissante de jeunesse ? La direction supposa alors que le peintre s'était également servi d'une photographie pour le portrait de la jeune femme. Rejoint à Londres, Cedric Nelson jura que non. Il avait rencontré Maude Lambert à Honfleur en 1990 et l'avait peinte telle qu'elle était. Il envoyait pour preuve une photo de cette même année le représentant en compagnie de Maude, sur fond de port de mer. Le peintre croyait à une erreur dans le registre. Difficile, cependant, de souscrire à cette hypothèse, les certificats de naissance et de baptême des époux étant identiques et signés de la main des mêmes officiels.

Un délégué de la direction se rendit donc à Ville Le Ber effectuer une petite enquête et tenter de trouver des contemporains de Maude Lambert qui pourraient l'éclairer. À l'hôtel de ville, on lui donna l'adresse d'une vieille dame de quatre-vingt-neuf ans, Henriette Savard, qui vivait dans une petite maison aux limites de la municipalité et qui avait bien connu le couple Moreau.

Le délégué sonna à la porte et une personne remarquablement alerte pour son âge vint lui ouvrir. Il se présenta et exposa la raison de sa visite. Henriette le fit asseoir au salon, réfléchit quelques instants, puis elle se décida.

— Si vous êtes prêt à entendre un récit incroyable, mais vrai, je vais vous le faire. Mais auparavant, je voudrais votre parole que Cedric Nelson ne sera jamais au courant de ce que vous allez apprendre. C'est une promesse que j'ai faite à Maude avant sa mort. Vous me le jurez ?

L'homme jura, et Henriette entama son récit, en n'omettant pas la partie judiciaire des événements, pour le cas où la direction du musée voudrait vérifier auprès du sergent Laforge la véracité de ses révélations.

Complètement sidéré mais ne pouvant douter de la santé mentale de cette femme, le jeune homme s'en retourna faire son rapport, qui fut accueilli avec la plus grande perplexité. Que faire ? Ce n'était pas la mission du musée d'aller creuser au fond de cette histoire, simplement pour pouvoir apposer deux dates sur une notice. On décida de tout ignorer. Les notices resteraient telles que le visiteur pouvait les lire depuis vingt ans : Cedric Nelson, *Portrait de Xavier Moreau*, 1988 – Cedric Nelson, *Portrait de Maude Lambert*, 1990.

Ainsi, l'extravagante aventure du célèbre modèle, survenue le jour de ses soixante-dix ans, ne fut connue que d'un petit cercle d'initiés pendant fort longtemps. Mais comme tout finit toujours par se savoir… Un jour, dans un avenir plus ou moins lointain, le public apprendra la vérité sur l'affaire du portrait, c'est sûr, et il s'étonnera que le fabuleux remède qui avait pu transformer une septuagénaire en une radieuse jeune femme soit resté caché pendant si longtemps. Tout le monde se mettra à délirer sur la possibilité de la jeunesse éternelle. Qui sait si depuis des années déjà, d'éminents chercheurs, dans des laboratoires hautement sophistiqués, ne seraient pas à l'œuvre pour tenter, tels des docteurs Faust modernes, de reproduire la recette miraculeuse de Julien Rochette, alias Julian Rochester, et préparer une nouvelle ère pour l'humanité ?

Marquis imprimeur inc.

Québec, Canada
2011